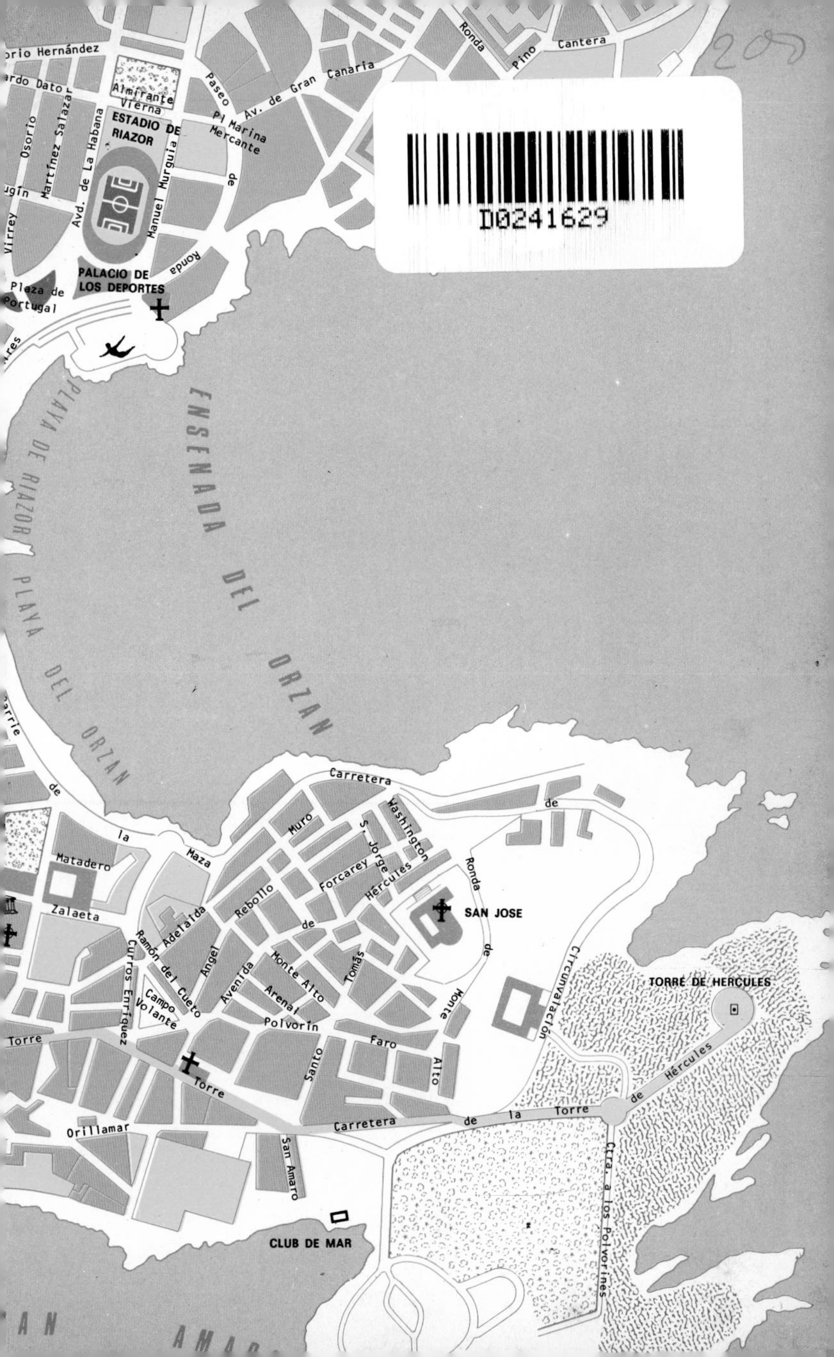

orio Hernández
rdo Dato
Almirante Vierna
ESTADIO DE RIAZOR
Osorio
Martínez Salazar
Avd. de La Habana
Manuel Murguía
Paseo
Av. de Gran Canaria
Pl Marina Mercante
de
Ronda
Pino
Cantera
Virrey
PALACIO DE LOS DEPORTES
Plaza de Portugal
PLAYA DE RIAZOR
ENSENADA DEL ORZAN
PLAYA DEL ORZAN
de
la
Maza
Matadero
Zalaeta
Carretera
de
Muro
Washington
S. Jorge
Forcarey
Hércules
Rebollo
Adelaida
Ramón del Cueto
Angel
Avenida
Monte Alto
Arenal
Tomás
Ronda de Monte
SAN JOSE
Circunvalación
TORRE DE HERCULES
de Hércules
Curros Enríquez
Campo Volante
Polvorín
Faro
Alto
Santo
Torre
Orillamar
Carretera de la Torre
San Amaro
Ctra. a los Polvorines
CLUB DE MAR

CUARTA EDICION

Impreso en España. Printed in Spain. León-1976

ISBN 84-241-4303-5
Depósito Legal-LE- 34 / 1976

EVERGRAFICAS.– Carret. León-Astorga, Km. 4,500 - LEON

Cristales, agua y luz, en juego de reflejos coruñeses

L A C O R U Ñ A

Textos: MIGUEL GONZÁLEZ GARCÉS

Fotografías: Manuel Ferrol.

Carlos G. Garcés Santiso.

Paisajes Españoles.

Publiavión.

A. Mas.

Archivo Gráfico del Ministerio de Información y Turismo.

Arribas.

Catalá Roca.

Archivo del Excmo. Ayuntamiento de La Coruña.

EDITORIAL EVEREST, S. A.

MADRID • LEON • SEVILLA • GRANADA
VALENCIA • ZARAGOZA • BARCELONA • BILBAO
LAS PALMAS DE GRAN CANARIA • LA CORUÑA

LA CORUÑA, CIUDAD EN EL PAISAJE

Ciudad blanca y azul, talla perfecta,
indeciso cristal de espuma en vuelo.

Ciudad en el paisaje. Paisaje ella misma. Campo, mar, cristal, alegre luz. Verde de árboles, azul de mares. Esbelto perfil tendido, tallado por brisas y luces.

Debe ser contemplada desde altitudes que pongan mar, o mares, por medio. Los inmediatos Montes de San Pedro o Pena Moa, por el Occidente. La Zapateira, Castro de Elviña, por el Sur. Oleiros, Santa Cruz, el Seixo Branco, por el Este. O desde la Torre de Hércules. O el Parque de Santa Margarita, casi céntrico. O en entrada por mar, en un barco. O, mejor aún, desde un avión.

Plenamente gallega. Inmersa en el campo. Sembrada en el mar. Que no es sólo senda, reflejo, belleza de espumas y estelas o libertad de horizonte. También espíritu y cultura. La Coruña es una ciudad de verano. Aunque no sólo una ciudad de verano.

El mar conforma a La Coruña. Y a su historia. Inquieto invierno del Orzán. Plácida bahía en todo tiempo. Y playas. La personalidad de La Coruña —paisaje, historia, psicología— la debe al mar. A su horizonte abierto, sus rutas oceánicas, su posición clave de rías. El impulso marino condujo legendariamente a antiguos coruñeses a conquistar las grandes islas del Norte. Más tarde a la comunicación abierta y marinera con Europa. Puerto ya utilizado por los romanos y base de la prosperidad medieval de La Coruña. Comercio de la sal, puerto de peregrinación, ciudad realenga, libre de toda traba feudal en la Edad Media. Base de las primeras expediciones a Oceanía, de muchas a América, sede de la Casa de Contratación de la Especiería, punto de partida de Carlos I hacia el Imperio, después de sus Cortes de 1520. Refugio de la Invencible, puerto anhelado por los ingleses en 1589. Correos de América, Consulado del Mar en el XVIII. Expedición de la vacuna a América en brazos de niños coruñeses a principios del XIX. Primer Dunquerque de la historia en 1809.

Ahora, puerto segurísimo, de rutas atlánticas y el de mayor cabotaje de Galicia. Pesquero, bacaladero. Muelles mercantiles, grúas, feos silos, muelle petrolero, mejilloneras, el famoso "Muro" —lonja nacional de pescado—.

En la bahía también los blancos balandros, las traineras, o los "fuera borda", rasgan su azul deportivamente. Y en la Dársena, nido de pequeñas embarcaciones, se reflejan los cristales y las luces de La Coruña. Ella misma, mar.

Los barcos funden sus proas con cristales.

Pinos y nubes en la ciudad marina.

El Jardín de San Carlos, en juego escalonado de árboles y muros, contempla parcialmente la bahía. →

Desde el Mirador de Pena Moa se aprecia la fusión del campo gallego con el perfil de la ciudad entre mares.

LA TORRE DE HÉRCULES

La antigua Torre, dominante piedra
—símbolo y faro— pastorea mares.

Símbolo de La Coruña. Su más importante monumento. Unico faro romano conservado en el mundo.

La Torre de Hércules está envuelta por mares, horizontes y leyendas. Antes de la actual construcción ya debió existir un faro o torre en el mismo lugar. Autores medievales irlandeses —"Leabar Gabala"—, cuentan que partieron de aquí las huestes del Rey Breogán a la conquista de aquellas tierras. Las relaciones de Galicia, Irlanda y Bretaña en época prerromana, se confirman por la existencia y difusión de la cultura de las alabardas.

Por medio de un espejo que dominaba los mares —aún Bernardo de Balbuena: "La Coruña es aquella y la alta Torre - del encanto y cuidadoso espejo"— se veían las lejanas costas y se evitaba toda posible invasión de buques enemigos. Otro relato, que incluye Alfonso X en su "Crónica General", dice que el espejo fue roto por medio de la estratagema que se emplea también en "Macbeth". Y que se atribuyó asimismo a Julio César. Semejante a la que utilizaron los españoles en Pavía. Unos enemigos se acercaron con sus naves disimiludas por ramaje. Y cuando estuvieron cerca lograron romper el espejo.

También el Rey Sabio nos cuenta que Hércules lidió con el tirano Gerión y lo venció. Le cortó la cabeza, la enterró y encima edificó la Torre. De esta leyenda surge el escudo de La Coruña.

La actual construcción es romana. Debió edificarse hacia fines del siglo II por el arquitecto lusitano Gaio Sevio Lupo. Fue restaurada en 1682, y de 1788 a 1790 a su redondo contorno se le impuso la casaca de esquinas. Dirigió esta obra el ingeniero Giannini.

Históricamente sirvió asimismo para la identificación de La Coruña con la antigua "Brigantia", ya que Paulo Orosio, hacia 405, dice que Brigantia posee un altísimo faro. Los normandos llegaron a La Coruña en 846 ya que lo hicieron a Farum Brigantium. También se le denominó Farum Precancium y Castellum de Faro.

Fue en parte destruida por las guerras hermandinas de fines del XV y protagonista de algún curioso episodio en la época de la invasión inglesa de 1589.

Desde ella se domina La Coruña, las rías y el horizonte atlántico. Tiene 104 metros de altura sobre el nivel del mar y su escalera interior, que sustituye a la antigua rampa exterior, 242 peldaños. La luz del faro es de grupos de cuatro destellos relámpagos y su alcance 40 millas.

← La Torre de Hércules, romana guía de naves del Atlántico.

La playa de Santa Cristina es de blanca y finísima arena.

← Símbolo heráldico y único faro romano que aún cumple su misión orientadora. Siglo II.

PLAYAS DE LA CORUÑA

La playa rosa y curva, acariciada
tantas veces por ojos deseosos,
polvo de luz en que dejaron huellas
las gaviotas, ángeles y vientos.

La de Riazor es playa —continuada por las del Orzán y Berbiriana en la gran curva de la Ensenada del Orzán— dentro de la ciudad, rodeada de ella. Intima. Y sin embargo contempla el horizonte libre y abierto. De olor fuertemente yodado, saludable, fresca, amplia, en la que se conjuga lo ilimitado con la familiaridad, el reposo y lo rocoso, la azul quietud de las aguas y el recuerdo del blanco salto de las olas en tempestuosos días de invierno. Sensual roce de la naturaleza virginal y fuerte. El horizonte, las rocas, algas, anémonas, arena tibia, acre aroma yodado y salino. Y la ciudad se percibe protectora mientras la sal nos roza los labios. Restaurantes y cafeterías y servicio de casetas y duchas. Pequeño jardín y paseo hasta la Rotonda, en el extremo de la playa. La Coraza, antiguo límite de fortificaciones de la Pescadería, mirador entre Riazor y El Orzán.

La playa de San Amaro está vinculada a la Historia. A uno de los castillos —el de Pragueiras— medievales de La Coruña. En el gran nudo marítimo de las rías. Playa de buenos nadadores y remeros de afición.

Curvas suaves, finísima arena tamizada por plumas de ala de ángel. La Coruña, emergiendo de la espuma, se contempla desde ella. Y sin embargo la playa de Santa Cristina es ya campo, verde, pinar, conchas, paisaje marino, perfume vital puro, brisa, descanso, placer, naturaleza viva. Hoteles y restaurantes, casas de recreo con belleza de líneas, instalaciones de casetas y duchas, campos de aparcamiento... Pueden recorrerse los 5 Kms. de distancia a Santa Cristina en autobuses especiales, por la carretera del Pasaje y Santa Cruz. Pero es recomendable y delicioso el viaje en barcas dedicadas a ello, con las magníficas perspectivas de la ciudad desde el mar, por la tranquila bahía con paisaje hermosísimo de barcos, galerías, puertas del mar, los Castros, las Jubias, mejilloneras, etc.

Muy cerca de ella, a 6 Kms. de La Coruña, también resguardada en la bahía, la playa de Bastiagueiro. Amplia, templada, de fina arena, mar suave, viento calmo. Con frescor de prados circundantes, aroma de pinares y eucaliptos.

Después de ellas, las innumerables playas plácidas de las Mariñas. Coruñesas, ya que están situadas entre los 8 y 20 Kms.

Las suaves olas de Bastiagueiro en otoño. →

Vista parcial de la playa de Riazor.

LAS GALERIAS CORUÑESAS

"En la ciudad estremecida de cristales".

Arte romano en la Torre, en puentes y murallas y en las villas o casas de recreo que se colgaban sobre las rías y de las que ahora aparecen restos. Arte medieval, feudal y campesino, en iglesias, monasterios y castillos. Barroco de grandes iglesias y pazos. Pero el anhelo de libertad y expansión y luz, marino y atlántico, no plasmó su expresión perfecta hasta el siglo XIX con las galerías coruñesas.

Utilización del cristal en gran escala en la arquitectura moderna. Con el precedente de las galerías de La Coruña. Sólo una ciudad rodeada de mar, y cuya causa primigenia de existencia es el mar, que amó históricamente la libertad y que posee una luminosidad diáfana, pudo ser la que iniciase el nuevo sentido, la tendencia nueva.

Las actuales condiciones económicas y los materiales de construcción, son propicios a la edificación del muro-cortina. Pero fue aportación genial coruñesa —en lucha contra prejuicios desfavorables, respecto de la utilización del vidrio en las construcciones— adecuar los elementos arquitectónicos al espíritu de la ciudad. Las galerías se correspondían con su tradición realenga y nunca sometida a poder feudal, con su amor a la libertad, con su luz y su ansia de horizonte y reflejos marinos.

Las galerías tienen dentro de la ciudad gran variedad de estilos. Las más perfectas se hallan en el conjunto de la Avenida de la Marina.

El cristal, el "agua al fin dulcemente dura" gongorina, juega en La Coruña con el luminoso y sutil cristal azul y blanco de las aguas. Condición sabia de las galerías, es que están situadas frente al Austro. Y que nada estorbe al reflejo del cristal en los cristales. Una buena galería —como una buena perla o un buen verso—, ha de cumplir exigentes condiciones: estar situada al Mediodía; que nada se interponga en el doble reflejo de mares y cristales; que la casa en que se halle no tenga una altura menor de dos pisos ni mayor de cinco, siendo este número de ellos el ideal; que no esté absolutamente contigua al mar, sino que haya en medio una franja de tierra, una avenida.

Las galerías son cámaras de aire cálido que actúan como invernadero, refugio luminoso contra el viento y la lluvia, panal de luz. Estética y prácticamente una de las más ricas preseas y aportaciones de La Coruña.

Las galerías coruñesas del siglo XIX fueron genial adivinación de la construcción de nuestra época.

La acogedora Dársena y las galerías.

LOS JARDINES

Un silencio mojado,
una rosa quizá, los altos olmos,
geranios en olvido,
la antigua fuente ornada de veneras...

Reflejan la benignidad de suelo y clima. La tierra necesita abundante hidratación. Pero por sus mismas cualidades y la aireación constante, permanece poco tiempo húmeda. Su variada y exótica flora es testigo de su clima perfecto.

Abundantes palmeras. Verdes, altivas. Y magnolios. Olmos del Jardín de S. Carlos. Y acacias. Cedros del Líbano alternan con multitud de plantas tropicales.

Rosas en diciembre y enero. Las grandes campanas blancas aromáticas de daturas indias son —creemos— únicas en la Península. Y azaleas, rodondedros, dafnes, gladiolos, tulipanes, violetas... En sus contornos feraces el griego acanto es planta espontánea, subespontánea la hortensia.

Camelios que son árboles. Pinares en Santa Margarita, no terminado parque. El australiano eucalipto, de enormes ejemplares. Manzanos y perales en las Mariñas. Fresales en la parte alta de la Ría.

Gaviotas, mirlos y jilgueros en cielos y jardines coruñeses. Y gorriones. Algún cuervo, y gaviotas, en San Carlos. Y golondrinas, aviones, nevatillas, pardillos, verderones... Las bandadas de estorninos se posan cotidianamente en el crepúsculo en los jardínes de Méndez Núñez.

La escasa variación en la temperatura diurna, la óptima constante estacional, permite vecindades sorprendentes y floraciones inesperadas.

Una flor únicamente coruñesa: la crisostema. En las primaveras torna amarillos —como a los montes el tojo— a los campos coruñeses. Quizá la única ciudad española que posea una flor propia.

Jardines de Méndez Núñez, frente a los Cantones. Son uno de los principales atractivos de La Coruña. En ellos, monumento a Concepción Arenal, estatua sedente de la Pardo Bazán y algunas decorativas esculturas. En la Rosaleda, monumento a Aureliano Linares Rivas. Paseo de Palmeras en el Relleno. Monumentos a Curros Enríquez —de Asorey—, y Daniel Carballo.

Jardín de San Carlos. Romántico. Casi enteramente circular y cerrado por muros. Tumba del General Moore. Grandes olmos, versos de Rosalía y Wolf, pequeña fuente antigua, mirtos, palmeras, rosas... Fue la "Fortaleza Vieja", sobre lienzos de vetustas murallas. Vista sobre la Bahía. En él la Casa de Cultura.

Jardines preceden al cuidado Cementerio. Marino, por otra parte.

En el Jardín de San Carlos, bajo los olmos, la tumba del general Moore.

Estatuilla, cedros y palmeras en los Jardínes de Méndez Núñez.

Jardínes de Méndez Núñez: escultura de niño pescador napolitano.

La Playa de Riazor, urbana y céntrica, en marea alta. Al fondo un fragmento del puerto.

Playa de Santa Cristina y Puente del Pasaje en la entrada de la Ría de El Burgo.

LA CIUDAD VIEJA

Esquina del silencio,
donde olas golpean las flores de murallas.

Ciudad antigua, venerable de piedra y de silencio, cercana al parpadeo de luces y al tránsito del moderno afán. Ciudad en que la piedra románica, arco labrado o tímpano, escultura viviente o quietud de sepulcro, juega su contrapunto con el árbol solitario en la muda calle empinada. Alumbrada —tibiamente— por el farol de la pequeña plaza, decorada con árboles más escenográficos que reales, en que resuenan rezos y vuelos apagados. Ciudad de añoranzas de muelles antiguos y desembarcos mayestáticos, defensas contra enemigos y protecciones de embarques.

Ciudad en que el jardín romántico contiene versos, olmos, rosas, gaviotas, mirlos, mirtos, cuervos, una pequeña fuente ornada con veneras y una tumba.

Ciudad de Cortes españolas en que se proclama el Imperio y se nombra Contino a Garcilaso. Hospedería frecuente de Reyes y sede de hermanas —Rúa das Donas— del Santo Rey. Ciudad de arquitectura de Camino Francés, de peregrinaciones por mar, y de Virgen que habló a San Vicente Ferrer para hacer a La Coruña la más bella de las promesas.

Viejas calles, que trazan su curva alrededor del antiguo castro, con nombres de santo o de viejos gremios. Plazas ajardinadas o plazas pétreas. La antigua prosapia de añejos escudos. Aroma de daturas o íntimo y recogido a cera. Templos y conventos numerosos. Murallas o recuerdos de murallas y de puertas. El mar rodeándola. Y la Historia.

Ciudad que piedra a piedra, recoge las pisadas como rezos y los rezos como andaduras hacia camino celestial. Y la barroca prestancia, señorial y curva, de la casa del sabio de la Ilustración. Ciudad en que resuenan, en los muros de la antigua Ceca, en el recuerdo de los palacios de Virreyes, las campanadas de las altas torres.

Ciudad que es mar y campo, y roca firme. Y defensa y oración, fortaleza y recogimiento. Rosa, campana y mar abierto. Esencia y prez de La Coruña. Que ya no es La Coruña misma, derramada por el istmo entre automóviles, Bancos, trasatlánticos, industrias, calles y muelles que han ceñido de luces la bahía. Pero que es el más puro y selecto, el más exquisito perfume de sus años. Con su mar y sus playas, su alegría y sus luces, sus jardines y sus galerías, sus muelles y su Torre, sus verdes y sus pájaros, La Coruña no sería ella misma, de no poseer esta joya inigualable y única —y más en ciudad de verano— que es la Ciudad Vieja.

Un rincón de la Ciudad Vieja. →

La fuente del Deseo en la Plaza de Azcárraga.

Casa natal de José Cornide.

IGLESIAS DE SANTIAGO Y SANTA MARÍA

Vientos, campanas, mar,
y un niño tembloroso que no llora.

Iglesia de Santiago. Románica del siglo XII. Alterada con elementos góticos en los siglos XIV y XV. Planta basilical de una nave, que debieron ser tres, y tres ábsides semicirculares. De sus tres portadas románicas destaca la principal, de comienzos del XIII, con sus jambas con esculturas de San Juan y San Marcos; tímpano de Santiago ecuestre, posterior; archivoltas decoradas; cornisa con imagen de Cristo y rosetón ojival. En el Pórtico Norte, Agnus Dei en tímpano del siglo XII; curiosas ménsulas y arquivoltas. Ventanas románicas y góticas, de gran pureza y hermosura. Sepulcros adosados, góticos. En los ábsides, columnas y modillones muy expresivos. En el interior, capiteles con veneras; imagen de la Virgen de la Leche, del siglo XVIII; Santiago a caballo, obra de Nicolás Manzano, siglo XVIII, y sedente, en el Altar Mayor, de García Felipe. Púlpito. En el jardín, pila bautismal. Aras romanas de procedencia coruñesa, imágenes policromadas —una de Santiago del siglo XIV debería ocupar sitio preferente—, en el baptisterio. En su atrio se reunía en la Edad Media el Concejo coruñés.

Iglesia Colegiata de Santa María del Campo. Románico-ojival de los siglos XII al XIV. Planta basilical de tres naves y un ábside semicircular. Una reforma de 1880 falseó el primer cuerpo y la fachada, excepto el pórtico principal del siglo XIII, ó XIV, de influjo compostelano que se muestra especialmente en su decoración vegetal. Archivolta con Cristo entre San Pedro y San Pablo y ángeles sobre nubes. En el tímpano, la Adoración de los Reyes. Rosetón gótico del XIV y torre de campanas de la segunda mitad del siglo XV. Crucero, en el atrio, de la misma época. Pórtico lateral norte de mediados del siglo XIII, excepto el tímpano, anterior, que representa, según el Prof. Monteagudo, a Santa María Egipcíaca en el desierto. Puerta de madera del siglo XVIII. En el Pórtico Sur, un peregrino, quizá Santiago. En el interior, pilastras inclinadas; esculturas góticas del Ángel y la Virgen; sepulcros señoriales; imagen de María Magdalena atribuída a Pedro de Mena; buen Crucifijo; la Virgen del Portal, de antiquísima veneración; imágenes de piedra, policromadas, de la portada principal; arquilla de plata y viril áureo, regalados en 1690 por doña Mariana de Neoburgo; tabla de la Santa Faz, etc. Erigida en Colegiata en 1441, acogió en su recinto a todos los regios personajes que visitaron La Coruña. Es su símbolo, una jarra con azucenas.

Fachada de la iglesia de Santiago (principios del siglo XIII).

Iglesia de Santiago. Pórtico Norte con tímpano de Agnus Dei del siglo XII y ábsides.

Iglesia de Santiago: imagen del titular. Siglo XIV.

Crucero del siglo XV en el atrio y fachada de la Iglesia Colegiata de Santa María del Campo.

Iglesia de Santa María del Campo: tímpano de Adoración en el pórtico principal, siglo XIII, sepulcros señoriales y Virgen gótica.

RECORRIDO POR LA CIUDAD VIEJA

La plaza escueta en que los viejos árboles
con su animoso verde resucitan
la frágil vida de la imagen pétrea,
yace tranquila en soledad sin tiempo.

Es preferible entrar en ella por la calle de Santiago. Pequeña cuesta y encuadramiento perfecto de la fachada de la iglesia y su atrio. Calle de Tabernas, cuya casa núm. 11, del siglo XVIII, fue residencia de la Condesa de Pardo Bazán. Plaza de Azcárraga, de mucho carácter, grandes árboles, estatua en fuente —rumor del agua entre aroma de daturas— y los ábsides de la iglesia entrevistos tras el ramaje. Enlaza con la Plaza de Capitanía, testigo de importantes sucesos tanto festivos como políticos. En ella el Palacio, de 1748, neoclásico.

En la Plaza de Santa María, aparte de la Colegiata, el edificio Cornide, de principios del XVIII, señorial y armonioso. Casi inmediata, la calle de Herrerías, con sus antiguos Palacios Camarasa y de la Procuraduría. En la típica y legendaria calle de la Sinagoga, algunas de las más antiguas casas de La Coruña.

Plazuela de las Bárbaras. Silencio y armonía, piedra y árboles. Severa e íntima. Pared del convento, sobria, a la derecha, con puerta barroca de 1786. Puertas del fondo del siglo XVI. Relieve gótico de finales del XIV: Cristo sostenido por el Padre, pesaje de un alma por San Miguel, San Francisco, Santiago, etc. La cruz de la parte superior es de 1613. Otro relieve medieval en el vestíbulo con la Virgen y el Niño, Santa Bárbara y Santa Catalina. Quizá antiguo tímpano.

En breve, y pétrea plaza con jardines, Convento de Santo Domingo. Finales del XVIII. Conjunto barroco. Torre atribuida al compostelano Alberto Ricoy, algo posterior a la fachada y en curioso distinto plano. La Capilla de la Cofradía de los Remedios es de 1663. La del Rosario de 1686. Interesante la comparación con la de Sobrado. Más clasicista la de La Coruña. Buen retablo, 1688, de Alfonso González, autor de la columnata salomónica de la Catedral de Santiago. De él, o de Mateo Prado, debe ser la imagen de la Patrona de La Coruña. Tornavoz del púlpito, obra de Ferreiro. Imagen de San Pedro Mártir en cuya festividad se celebra típica romería rural en las calles de la Ciudad. En la Plaza, lienzo de muro del siglo XVII, con escudo, de la antigua Casa de Moneda.

Derruido el Convento de S. Francisco, en que se celebraron las Cortes de 1520, y trasladados a Santa Margarita los restos de la iglesia ojival, sólo resta la capilla de la V. O. T. de mediados del XVIII. Imagen del Nazareno atribuída a Pedro de Mena. Virgen de la Soledad. Retablo barroco. El 2 de febrero se representa curiosa y antigua pieza de teatro religioso.

Iglesia de Santo Domingo. Barroca. Fachada con la torre en distinto plano. Siglo XVIII. →

Las viejas acacias reverdecen en la plaza pétrea, conventual y recoleta de las Bárbaras.

En relieve, San Miguel, con el dragón, pesa un alma. El Padre ← tiene en sus brazos al Hijo, entre el Sol y la Luna. Santiago protege a un mareante tocado con barretina.

LA CIUDAD VIEJA DESDE EL MAR

Por el hueco de la ventana pasan las luces de los barcos.

Desde el mar, las murallas, las puertas, los verdes árboles del jardín de San Carlos desbordando los muros y reflejándose en las aguas. Y la evocación de Historia. Belleza y carácter de La Coruña.

La Coruña desde el mar presenta dos aspectos primordiales: la amplia curva de la bahía en que los cristales de las galerías reverberan. Y al fondo, la gama de verdes que hacen destacar a La Coruña del azul del mar y la faja blanca de las edificaciones.

Y, por otra parte, la calma venerable de las murallas con el mar al pie, de las antiguas puertas, los planos diversos de la piedra en armonía de roca y muro, mar y árboles verdes. De lo más bello de La Coruña y de mayor significación histórica. Desde las plácidas aguas de la bahía —en corto paseo a la playa de Santa Cristina o Mera— la visión es bellísima.

Indispensable paseo a pie por la Ciudad Vieja que bordea el mar. Comienza en el Parrote. Las galerías, la amenazada Dársena, astilleros... El Hotel Finisterre y la piscina de la Solana. El Paseo domina la Bahía, pasa al lado de las Puertas de Mar, las murallas, la románica puerta de San Andrés en la Casa de Cultura, el Jardín de San Carlos —pág. 18— y, por el istmo, con perspectiva de toda la bahía, el Castillo de San Antón. Y puede prolongarse, en pleno mar, por el Dique de Abrigo que contribuye a la total quietud de las aguas del puerto.

Castillo de San Antón. Hubo en la antes pequeña isla una ermita. Más tarde —siglo XVI— una fortaleza. Que se incluyó —construcción actual— en el XVIII en el sistema defensivo a lo Vauban de La Coruña. Fue prisión militar y actualmente sede del Museo Arqueológico Provincial.

La Coruña debió tener murallas desde la época de Alfonso IX. Fortaleza Vieja en el lugar que ahora ocupa el Jardín de San Carlos. En tiempos de Enrique III se construyó la parte del lienzo de la muralla que da al Parrote. La casi totalidad de lo que ahora contemplamos, debe ser de 1595. Entre ello la Puerta de San Miguel. Las otras dos puertas se denominan del Clavo y del Parrote, o de la Cruz. Ambas de 1676. El conjunto de muros, puertas de mar, el castillo y la bahía, constituyen una de las más hermosas perspectivas de ciudad marina que pueda darse.

← Retablo de Nuestra Señora del Rosario, Patrona de La Coruña, obra de Alfonso González (1688).

Una de las Puertas del Mar, en las antiguas murallas: la de la Cruz. Mandada construir por el conde de Aranda en 1676.

Los Cantones, en continua transformación.

Vista parcial de La Coruña tras los pinos y eucaliptos del Parque →
de Santa Margarita.

BANCO
RADIO NACIONAL

El Castillo de San Antón visto desde las antiguas murallas en el Paseo del Parrote.

← Nocturno en los Cuatro Caminos.

Los olmos desbordan las murallas del Jardín de San Carlos.

La armónica Plaza de María Pita, desde el Ayuntamiento.

LA PESCADERÍA

Cristal en el cristal, panal de luces.

Plaza de María Pita. Armónica, con edificios porticados de igual altura y características galerías. No es equivalente, como en ningún caso en Galicia, a la Plaza Mayor castellana. En ella, el Ayuntamiento, de principios de siglo. Salón de Sesiones y Alcaldía. Academia Gallega, con Biblioteca de temas gallegos.

Iglesia de San Jorge. La Compañía de Jesús encargó en 1693 su traza a Domingo de Andrade, autor de la Torre del Reloj de Compostela. En ella se empleó por primera vez la decoración de placas o perfiles de marquetería, que es el distintivo de los maestros gallegos del siglo XVIII. Grandes columnas y estatuas en su fachada. Tres grandes naves. Linterna sobre bóveda de arista. Estatua de San Agustín, barroca italiana. Imagen de la Concepción, de Ferreiro.

Sarela, compostelano, trazó la iglesia de San Nicolás. Siglo XVIII. Capilla de los Dolores y su altar, de Melchor Prado también del XVIII. La más venerada imagen coruñesa, es la de la Virgen de los Dolores de esta iglesia. La fachada es de 1865.

En Riego de Agua, el Teatro Rosalía y la Diputación. La calle Real, antigua de Acevedo, de mucho comercio, es paso y paseo obligado. Hacia el mar, y paralela, la Avenida de la Marina con sus galerías y el edificio neoclásico, 1768, de la Real Aduana y actual Gobierno Civil. Enfrente, el Teatro Colón y Hotel Embajador, y Correos y Telégrafos. Los inmediatos Cantones son lo más céntrico y animado de la siempre animada Coruña.

La calle de San Andrés, comercial y transitada, queda cercana al Museo Provincial, con pintura gallega encabezada por Pérez Villaamil, sin que la selección del siglo XX refleje la verdadera calidad de la actual. Obras de Carducho, Rubens, Ribera, Morales, Vicente López, Escalante, etc. y buena colección de cerámica de Sargadelos. Situado como la Biblioteca que lleva su nombre, en el edificio del antiguo Consulado del Mar (siglo XVIII).

En la calle de Panaderas, Convento de las Capuchinas o de Ntra. Sra. de las Maravillas. Obra de Casas Novoa, autor de la fachada del Obradoiro de la Catedral de Santiago. Siglo XVIII. Espacio claro y luminoso. Simplicidad ornamental. Misas en idioma gallego. Cuadro de "San Francisco", que se dice de Zurbarán, y relieve de la Transfiguración, atribuído a Gambino.

El modernista Palacio Municipal de La Coruña.

La iglesia de San Jorge inicia un nuevo sentido en el barroco gallego. Comienzos del siglo XVIII.

Imagen de la Virgen de los Dolores en la iglesia de San Nicolás.

PHILIPS

EL ENSANCHE. EL PUERTO.

"Vivir sin mar era vivir apenas".

La vía "De La Coruña a La Coruña pasando por La Coruña", o Carretera de circunvalación, es itinerario indispensable. Puede realizarse en autobús. En este caso pasa por el Cantón Grande, bordea el mar de la Bahía, la Ciudad Vieja, la Plaza de España y el Cuartel de Zamora —con monumento del escultor Asorey—, el Cementerio Marino, contempla las rías, la Torre de Hércules de modo casi inmediato, el mar de la Ensenada del Orzán, la playa de Riazor, el "Stadium", la Ciudad Jardín y la Ciudad Escolar, en la que se agrupa gran parte de los centros oficiales de Enseñanza. Cercanos, los panoramas desde el monte de San Pedro y Pena Moa.

En la Plaza de Pontevedra —con el edificio Da Guarda, donde estudió Picasso e hizo sus primeros dibujos oficiales— y calle de Juana de Vega, termina la Pescadería. Que no tiene solución de continuidad con los antiguos barrios de Garás y Santa Lucía, ya que las calles de Sánchez Bregua y Linares Rivas, forman amplia avenida con los Cantones. El Ensanche es de trazado monótono y no destacada edificación. En él, la Audiencia Territorial y modernas iglesias.

La Coruña marinera —mercantil e industrial— tiene su centro en los Cuatro Caminos. En contacto con el puerto. En el que hay que considerar diversos aspectos. La flota pesquera gallega representa la tercera parte de la nacional. Respecto al tonelaje y pesca, la relación es todavía mayor. También es la primera región conservera de España. En La Coruña, gran puerto pesquero, destaca la "Pebsa" entre las más importantes factorías de bacalao de Europa. Asimismo, hay factoría y laboratorio para industrialización de algas. Tiene la primera Universidad Laboral Marítima de España, Escuela Oficial de Náutica y Máquinas, etc.

"El Muro" es centro de vida pescadora y marinera. Lonja con características propias de gran interés mercantil y humano.

Muelle petrolero. El movimiento de cabotaje es el mayor de Galicia. Frecuentes visitas de trasatlánticos y barcos de guerra y turismo. Una larga teoría de muelles, con magníficas instalaciones portuarias. Entre otros lugares ya indicados, se domina el puerto en su conjunto, desde Los Castros.

La Refinería de Petróleo de Bens y el Complejo de La Grela, representan aspectos fundamentales del desarrollo industrial de La Coruña. La que crece incesantemente. Nuevos grandes barrios son Los Mallos, Agra del Orzán, o Santa Margarita. Sería necesaria la incorporación de Ayuntamientos limítrofes.

← Los Cantones en invierno pierden más luz que animación.

Un aspecto del "Muro"

La extensa y exquisita gastronomía coruñesa necesita numerosos centros de aprovisionamiento. Mercado de San Agustín.

LA CULTURA Y LAS FIESTAS

Pero agosto es el mar. La entrega de sí mismo.
Frescor desnudo —sombra— en plenitud de luz.

La luz, sus avenidas, la benignidad del clima, lo llano del suelo, el mar que la rodea, la visión de horizontes y el verde reposo de los montes circundantes, el equilibrio tradicional entre prosperidad y belleza, el tradicional amor a la libertad y a la sana diversión de sus habitantes, que, como pequeño defecto —o virtud—, tienen sensibilidad lábil o intuitiva, a la que unen un acertado juicio crítico y una sensualidad espiritualizada, tan propia de lo gallego, son, entre otros, motivos de que La Coruña, por la animación constante de sus calles y espectáculos, dé la impresión de continua fiesta. "La Coruña se divierte", es dicho regional, casi acusatorio, para caracterizarla.

La Coruña se divierte siempre. Algo más en las Fiestas de Agosto, en Navidades, en Año Nuevo, o en Carnaval. A pesar de las tendencias de contención o represión, los carnavales son en Galicia fiesta tradicional que adquiere un tono familiar por la reunión en torno a los platos regionales propios de la época. Pero que también trasciende a bailes y fiestas.

La Coruña baila intensamente en invierno y en verano. Y pasea. Los bares, los restaurantes, los cafés o las cafeterías, o las tabernas, están siempre llenos.

Las fiestas oficiales coruñesas se celebran desde finales de julio hasta mediados de septiembre. Ópera, corridas de toros, concurso hípico, compañías teatrales y concursos de teatro, bailadas, deportes marítimos, copas "Teresa Herrera" y "conde de Fenosa" de fútbol, Romería de Santa Margarita...

Ya Unamuno exaltó su "aire social de tolerancia y amplitud de criterio". Que pudo percibir en la Sociedad R. e I. de Artesanos, con biblioteca y actos culturales. El Archivo Regional de Galicia, Biblioteca Pública del Estado y A.C.I., en la Casa de Cultura. La A.C.I. organiza conferencias y Cursos de Verano y es propulsora del teatro aficionado, así como "La Farándula". La "Alianza Francesa", con conferencias y cursos. La "Asociación de Artistas" organiza exposiciones y conferencias. La "Sociedad Filarmónica" y "Amigos de la Ópera", musicales. Las revistas culturales "Alfar" y "Atlántida", tuvieron gran prestigio nacional. "La Voz de Galicia" sostiene esta tradición en la pág. dominical de "Artes y Letras".

El coruñés "Ballet Gallego" difunde las danzas regionales.

Entre las Sociedades de Recreo: "Casino de La Coruña", "La Solana", con complejos deportivos, piscinas y bailes; "La Hípica", de concursos hípicos, piscinas y bailes; el R. C. Náutico, Club de Golf, Aero Club, Club de Tenis, Club del Mar, con piscina, etc. Stadium Municipal de Riazor. Y "camping".

Casa de Cultura, en el Jardín de San Carlos. →

CASA
CVLTVRA

Museo Provincial de Bellas Artes: vista de una sala y vitrinas con cerámica de Sargadelos.

Nocturno de la Ciudad Vieja en fiestas.

Piscina de La Solana.

GASTRONOMÍA CORUÑESA

Tal vez sólo una fresa entre los labios.

Gran atracción de la ciudad que determina incluso especial configuración urbana. Hay en La Coruña una gran vía gastronómica que comienza en la calle de Troncoso, inmediata a la Plaza de María Pita. Continúa por ésta y logra su mayor esplendor en la de la Franja, Torreiro, Galera, Olmos, Estrella, Sta. Catalina y Plaza de Sta. Catalina. Hay muchos otros restaurantes y bares en distintas calles. Pero en las citadas, a todo lo largo, el más atrayente espectáculo son los escaparates que exhiben las más variadas y exquisitas viandas.

La cocina coruñesa es, en principio, la gallega. La calidad del marisco coruñés es incomparable. Moluscos y crustáceos. He aquí una clasificación, inevitablemente subjetiva, por calidades: langosta, lubrigante, centolla hembra, camarones, percebes de mar batida, ostras, veneras o vieiras, nécoras, cigalas... Buey de Francia, centolla macho, pateiros, gambas, percebes corrientes, zamburiñas, almejas, mejillones de Lorbé, cigalas de alta mar, pulpo, calamares, choquitos... Chopos, mejillones corrientes, berberechos, minchas, navajas...

En cuanto a pescados: salmón, reo, rodaballo, mero, merluza, lenguado, salmonete, lubina, trucha, lamprea... Robaliza, merluza del Gran Sol, rape, faneca, pescadilla, meigas o gallos, sardinas, castañeta, atún. Besugo, abadejo, bonito...

Sabrosísimas carnes, especialmente de ternera, y magníficas aves.

Entre los platos típicos: la empanada —de lomo, de lamprea, de sardina...— lacón con grelos, cocido a la gallega, reo, vieiras, pulpo estilo feria, merluza a la marinera, cacholada, truchas con jamón, lomo de cerdo asado, callos a la gallega, tortilla de patatas, caldo gallego, lamprea guisada, sardinas con cachelos, la caldeirada... Sopa de marisco, salpicón de marisco, tortilla de marisco.

Mantecosos quesos del país, de noviembre a mayo. Buena pastelería. Típicas filloas, orejas, flores, etc. Propias del Carnaval.

Frutas: peras Duquesa, manteca de oro, manteca negra, sorbete, urracas... Manzanas: tabardilla, reineta, camuesa... Fresas de Eirís. Uvas del Ribero. Melocotones, pavías, ciruelas, cerezas, limones...

Entre los vinos: Ribero, Albariño, Rosal, etc. Es típica la "queimada", con sus llamas misteriosas y azules. Cálida y fuerte bebida, cuya base es el aguardiente del Ribero.

Campo, playa, promontorios, la entrada a la bahía, la ciudad que se alarga con sus muelles, la atlántica fusión de cielo y mar.

PROVINCIA DE LA CORUÑA

Ensueño, sombra verde,
tras el que debe estar la blanca playa
en calmo florecer de algas y olas.

La más marítima de España. Y Galicia es creación, aún en el interior, de su mar. Estética y económicamente. La provincia tiene unos 40 puertos y unas 300 playas. En sus 333 Kms. de costa.

Llana o abrupta, acantilados y suaves rías, adentrados puertos o desafiantes refugios en el mar abierto, recogidas playas o batidas por el océano. Ensenadas, promontorios, pequeñas islas... Por mar venían los normandos o los ingleses en conquista o en peregrinación. Y también los santos. Santiago o San Andrés. O la propia Virgen de Muxía. Y muchos crucifijos e imágenes.

Galicia es percibida por los extraños como una gran masa verde. Es inmensa la gama de sus verdes. Pero Galicia tiene diversidad infinita de colores y matices de color en sus paisajes varios, en sus estaciones, a través de un mismo día en idéntico paisaje.

Humanizado. Las casas, las pequeñas aldeas, están esparcidas por montes, por rías, por costas. La parroquia suele servir de centro. Una iglesia románica, o románico-ojival, reformada en su fachada y en sus torres en la época barroca, es lo más frecuente. Los ábsides del XII y las torres del XVIII. Las iglesias, o las ermitas, son centro de romerías y peregrinación. En algunas se mezclan las prácticas piadosas a creencias ancestrales.

Cruceros. Predominan los medievales y barrocos. También en los pazos. "Palomar y ciprés", pero asimismo solanas, balconadas, jardines, escaleras, chimeneas, etc. Los hórreos son construcciones tradicionales típicas y exentas, sostenidas por pilares, en las que se guardan las cosechas de maíz, trigo y otros productos agrícolas.

Los innumerables ríos están cruzados por puentes. A veces, romanos. Otras, medievales. También medievales los castillos. Y las fundaciones de Monasterios.

Grandes extensiones de árboles madereros. Y abundantes frutales. Muy diversos productos del campo, donde es exagerado el minifundio.

Fiestas continuas y típicas. Música interpretada por muy varios instrumentos. El sentido musical gallego se muestra hasta en su hermosa habla.

Ferias de ganado, aperos, telas y viandas. Alfarerías. El encaje —"la más alta espiritualización de la materia", según Simmel—, se trabaja desde Finisterre a La Coruña. La madera, la mayor fuente de riqueza, es convertida artesanamente en sellas, arcones, zuecas, aperos de labranza, etc. Los trabajos del mar abarcan pesca, carpintería de ribera, rederos, etc.

Paisaje de ría. →

El paisaje humanizado incorpora las casas y los hórreos como un elemento más de la naturaleza.

Casa típica marinera.

Casa típica rural.

"Zoqueiro".

Crucero de Eiroa.

Otro crucero anuncia la cercanía de la iglesia de San Vicente de Aguas Santas, de esbelta torre barroca.

Dolmen de Dombate.

Dolmen de San Xián de Cabaleiros.

LA RÍA DEL BURGO. CAMBRE.

Las colinas humanas y fecundas,
el arenal copioso de bosca vida
y las barcas rasgando el agua tersa.

A 4 Kms. de La Coruña, pureza campestre y marítima, remansado lago. Pinares, manzanos, rosas, reflejos plateados de las aguas, limoneros, eucaliptos, elevación de Montrove dominadora de Rías, escalonadas fincas de recreo en Perillo, inmediato al Puente del Pasaje y Playa de Santa Cristina. Visión de la Ría desde Eirís, Río de Quintas o El Portazgo, en la carretera a Santiago, cultivadores de fresas. Tapias de enredaderas, brisas con aroma de jardín. Calma del grisazul entre los pinos.

Casi en la propia Ría, en la Carretera General a Madrid, "Beiramar", con "camping", restaurante, instalaciones deportivas, etc.

Contemplan también la Ría, en la carretera a Santiago, Vilaboa, con buen pazo, empinada cuesta y moderna iglesia decorada por Lugrís. Y el aeródromo de Alvedro, de magnífica posición y panorama, a 8 Kms. de La Coruña. Próxima, la iglesia románica, del siglo XII, de Culleredo.

La Ría tiene gran riqueza de moluscos. Cercana a Perillo, Santa Eulalia de Lians. Crucero entre eucaliptos y acacias e iglesia barroca que con los cipreses del cementerio, mirtos, acantos y conchas de las tumbas, forman un conjunto reposado y romántico.

El Burgo, en el fondo de la Ría, fue señorío de los Templarios. Rival de La Coruña en el siglo XII. La iglesia románica de Santiago tiene planta de cruz latina, tres ábsides semicirculares, tímpano con Agnus Dei, canecillos, etc. Restos románicos en la iglesia del Temple. Y de su histórico puente.

Cambre. La más importante iglesia rural gallega. Del siglo XII. Planta de cruz latina, tres naves y ábsides y girola con cinco capillas absidales. Pórtico, rosetón, ventanas con arquillos, capiteles, pila bautismal y, según la tradición, una de las hidrias de Canaa. En las inmediaciones de Cambre, el crucero de Lema, 1774, bajo corpulento fresno. Puente medieval sobre el Mero. Al remontar su curso, Cecebre. Bellísimas riberas y la famosa fraga que exaltó Fernández Flórez en "El bosque animado".

Cercano a la Ría, en la carretera a Madrid, San Pedro de Nos, lugar de veraneo, con —"El Seijal"— amplísima pista de baile con buenas instalaciones. Club de Tenis de La Coruña. Tras la feraz "Floresta", el Carballo, desde donde se sigue a Betanzos. O a Sada, por Oleiros, con panorámica de La Coruña, los valles, las rías y el mar.

Cambre: Fachada de la Iglesia y ábsides (s. XII).

La girola de la iglesia de Cambre es ejemplar único en la provincia, aparte de la existente en la Catedral de Santiago. →

DE LA CORUÑA A SADA

En la pequeña playa entre los pinos
que ocultan las arenas.

Ruta de las Mariñas. Por la carretera del Pasaje —paisaje costero, más bello— o por la Avenida de Lavedra. Iglesia de Elviña, románica del siglo XII, una nave, ábside rectangular y pórtico. Esbelto crucero. En las cercanías, castro prehistórico. En Elviña lucharon (enero de 1809) los franceses de Soult y los ingleses de Moore que querían embarcar sus fuerzas. Moore murió por las heridas recibidas. Está enterrado en el Jardín de San Carlos.

Monte "A Zapateira", con túmulos dolménicos y amplísimo campo de golf con pinos y eucaliptos. Vista de La Coruña. En "O Escorial", hórreo pétreo del siglo XVIII, uno de los más grandes de Galicia.

Plaza y puente del Pasaje. Carretera a Santa Cruz. Playas de Santa Cristina y Bastiagueiro (pág. 12). Cercana, la iglesia de Lians.

Altos árboles. Arcada verde. Maravillosa carretera. Santa Cruz. Pura escenografía. Una isla, más producto de fantasía que de realidad, en la que grandes árboles desbordan antiguas murallas y se inclinan al mar. En el centro, castillo de bella línea y gran carácter que contribuía al sistema defensivo de La Coruña. A la derecha, un conjunto de rocas encuadra el paisaje. Y en el extenso centro, vista panorámica de La Coruña y el mar. También desde la "Residencia Santa Cruz". O el inmediato "Hotel Portocobo", con piscina.

Desde Santa Cruz puede seguirse el camino a Sada por Mera o por Meirás. Carreteras bordeadas de hortensias. En el segundo caso, Torres de Meirás. Antigua residencia de la Pardo Bazán. Una de sus torres —"La Quimera"— dio nombre a una novela suya. Actual, veraniega, del Jefe del Estado. Iglesia contemporánea de S. Martín, por Fernández Albalat. Imagen pétrea de Latas. Vista de la Ría de Sada.

Por la carretera de Mera, se contempla el paisaje de La Coruña en el mar y la Torre de Hércules irguiéndose destacada. Valles dilatados de curvas lentas. Playa de Canide. Mera tiene sus casas frente al mar, malecón, playa y, al lado derecho, el faro y el Seixo Branco, cabo que domina el horizonte, las rías, La Coruña, la Peña de la Marola y la playita de Canaval, recogida, vegetal y bella.

Abandonando la carretera, hacia la costa, iglesia románica de Dexo.

Entre pinos y manzanos, se bordea el mar hacia la Ría de Sada. Lorbé tiene playa y exquisitos mejillones. Y otra playa, la de Veigue. Separándose de la carretera que conduce a Sada, Carnoédo, sobre la Ría. En la tranquila y plateada Ría de Sada, cayendo en planos, el pueblo pescador de Fontán, unido por un muelle, sin solución de continuidad, a Sada.

Santa Cruz, y su isla, en la bahía de La Coruña. Al fondo, la Ría de Sada. →

Elviña: las casas rurales y el crucero contrastan con las nuevas construcciones.

Isla de Santa Cruz, desde Portocobo.

Torres de Meirás.

La Torre de Hércules desde el Seixo Branco.

Albergue femenino en la Ría de Sada.

DE SADA A BETANZOS

Bajamar resolviéndose en espuma
y las conchas desnudas en su nácar.

Ciudad de Sada. Edificación moderna. Buen marisco, especialmente centollas pequeñas. Y sardinas que en sus fiestas de agosto se reparten gratuitamente. Malecón que separa la ciudad de la blanca playa con bandadas de gaviotas. Cercana, la fábrica artística de cerámica del Castro dirigida por Isaac Díaz Pardo. Tradición gallega en formas artísticas y finísima porcelana.

Continuando el camino a Betanzos, albergue femenino situado en lugar privilegiado. Magníficas instalaciones, campos de deportes, piscinas, etc. Fachada y parte posterior con cerámica de Francisco Creo. Original decoración de Labra, con grandes gaviotas —otro de los símbolos de Galicia— de metal.

La playa de Gandarío se contempla desde la carretera a través de manzanos. Playa de olas perezosas, una línea larga y blanca, frente al azul fuerte de la ría. Malecón, pinares al fondo, fuentes, conchas. Tal vez estas playas —Sada, Gandarío, Ponte do Porco y del Pedrido, Miño, Cabañas— tengan su momento más pleno de belleza en el otoño. Tranquilas, cálidas, con mar calmo, brisa suave, casi suspiro de los húmedos prados al borde de las olas. Aunque unas desdichadas instalaciones han restado a la de Gandarío expansión y belleza.

En las cercanías: Iglesia de San Salvador de Bergondo, románica, siglo XII, planta basilical de tres naves y ábsides. Dos portadas. Sepulcros señoriales. En sus inmediaciones, castros prehistóricos de Reboredo y Bergondo. Iglesia parroquial de S. Juan de Ouces, con restos románicos. Y pazos. Entre ellos, el de Láncara.

Sobre la ría, entrada del mar en Betanzos, después de maravilloso descenso por Fiobre, Puente del Pedrido, en camino a Ferrol. En el Pedrido hay varias playas grandes unidas, planas, de aguas tranquilas y templadas. Fraga, en gran declive hasta el mar. En otoño los castaños dejan caer sus frutos sobre la arena.

Estas playas son actualmente de las mayores productoras de ostras de Galicia. Y fecundas en almejas, berberechos, etc. También hay, como en todas las de esta costa coruñesa, conchas de la más varia belleza y formas: los armoniosos pecten; las patas de pelícano, con su pequeña torre espiral; el detenido vuelo rosa de las telinas o mariposas de mar; las escalarias, con las que sólo compiten las porcelanas chinas o las del Castro; las moteadas cípreas; las turritelas, de larga afilada línea de flecha de catedral gótica, etc.

Cerámica de El Castro. →

"Gaviotas", de José María de Labra.

Playa de Sada.

Gaiteiros. Entre los diversos instrumentos musicales típicos gallecos destaca la gaita. Compuesta por un odre denominado *fol,* cubierto de paño, y tres tubos de boj de distinto tamaño: *soplete, punteiro* y *roncón.*

Entre lanzas de lúpulo, vides y ríos, la ciudad de Betanzos.

Aun en invierno es plácida la playa de Gandarío.

Ría de Betanzos con el Puente del Pedrido.

← Betanzos. Iglesia de Santiago: Retablo plateresco de la capilla de San Pedro y San Pablo, atribuido a Cornelis de Holanda (s. XVI).

BETANZOS DE LOS CABALLEROS

Y la curva en que el río es dormido por juncos.

El alto de las Angustias contempla a la, desde 1465, ciudad de Betanzos. Elevada en el Castro de Unta y rodeada de campos, vides y plantas de lúpulo.

La circundan los ríos Mendo y Mandeo, que en este lugar tienen caracteres de ría. Sobre ellos, antiguos puentes. Que riman con las puertas apuntadas de murallas.

Los viejos "peiraos" o muelles están extramuros. Dentro de ellos, el conjunto de empinadas y sorprendentes calles, soportales, amplias plazas, fuentes y arquitectura de pueblo gallego pescador aunado a las residencias blasonadas y al influjo coruñés de las galerías. Entre sus edificios civiles: el construído para Archivo Regional, siglo XVIII; el Ayuntamiento, diseñado por Ventura Rodríguez; el Colegio de Huérfanas, siglo XVIII, reproducido en el Pueblo Español, de Barcelona.

Iglesia de Santiago. Gótica, con tradición románica. Torre del Reloj, siglo XVI, adosada. Tres naves y ábsides con rasgados ventanales. Columnas inclinadas. Rosetones. En el tímpano del pórtico principal, Santiago ecuestre. Jesús y el Apostolado en la arquivolta. Del gremio de alfayates. Sepulcros. Capilla de San Pedro y San Pablo, de estilo renacentista alemán. Retablo plateresco. Reja gótica.

Santa María del Azogue. Románico-ojival. Tres naves y ábsides. Rosetones y ventanas. Fachada con pórtico abocinado. Arquivoltas y tímpano de Adoración. Hornacinas con Virgen y Arcángel. Canecillos. Del gremio de mareantes. Relieves del Rosario en retablo de escuela flamenca del XV. Monumento Nacional.

San Francisco. Gótica, de una nave, tres ábsides, ventanales, óculos, rosetones, etc. Pórtico con tímpano de Adoración. Esculturas de influjo francés. Sepulcro de Fernán Pérez de Andrade. Capiteles con veneras. Monumento Nacional.

Nuestra Señora del Camino, 1568. Planta de cruz latina. Una nave. Todavía con bóvedas estrelladas. Fachada renacentista con medallones y frontón. La capilla alta y el cimborrio son de García Velasco, 1599.

Ferias los días 1 y 16 de cada mes. Fiestas de San Roque durante las que se eleva "el mayor globo de papel del mundo". Y se bailan danzas de antiguos gremios. Excursiones por el Mandeo —truchero, con el coto salmonero de Chelo—, a los Caneiros, en cientos de barcas engalanadas e iluminadas. De barca a barca se entablan, en los 3 Kms. de recorrido, batallas de flores. Las músicas populares gallegas y el ambiente festivo, se unen al consumo de empanadas, famosas tortillas y buen vino del país. Las bodegas de la ciudad exhiben en sus puertas ramos de laurel.

Puente del Pedrido.

El Mandeo a su paso por Betanzos.

La escultura gallega adquirió enorme expresividad y estilizada sencillez actual ya en la Edad Media. Como en este, desgraciadamente emigrado, grupo escultórico del "Descendimiento" que se hallaba en la Iglesia de S. Francisco.

Betanzos. Iglesia de San Francisco: Sepulcro de Fernán Pérez de Andrade, "O Boo".

Detalle del sepulcro de Andrade.

Relieve en los muros laterales del arco triunfal del presbiterio de la Iglesia de San Francisco.

Betanzos. Calle típica. En la ciudad del famoso "Globo", también los paraguas vuelan. →

FERRETERIA
EL CUBO
MUEBLES

Betanzos. Iglesia de Santa María del Azogue. Fachada.

Betanzos. Hacia Los Caneiros, en el río Mandeo. →

Iglesia de Santa María del Azogue: Detalle del pórtico principal.

ALREDEDORES DE BETANZOS. DE BETANZOS A PUENTEDEUME

El fragmento de azul entre los pinos.

En la carretera a Madrid, iglesias románicas del siglo XII, como la de Collantres y Coirós, de ábside rectangular y una nave. Desviación, por su panorama, al monte de La Espenuca, sobre el Mandeo. En él, la iglesia de Santa Eulalia. Santiago de Ois, con iglesia románica, es lugar de muy curiosas romerías por devoción a Fray Pedro Manzano.

San Martín de Tiobre, con iglesia románica del XII (pórticos, rosetones, canecillos...), fue el antiguo Betanzos, cercano a la carretera a Ferrol. La de Irixoa, en la que está la ermita románico-ojival de Mántaras, empalma en este lugar con la de Puentedeume. A 2 Kms. de ella, el Monasterio de Monfero (pág. 98).

De Betanzos a Puentedeume, paisaje costero, viñedos, lúpulo, y rías. Viveros de marisco. Y playas. Ponte do Pasaxe do Pedrido, Ponte do Porco —el jabalí, emblema de los Andrade—. Recodo, playa breve y difícil curva. En Miño, paisaje y playas, como la Grande, rubia, de más de 2 Kms. de longitud. Restaurantes y hoteles. En los ríos Lambre y Baxoy, truchas y reos. Desde Campolongo debe irse a Perbes: San Juan de Vilanova es rarísimo ejemplar de arte lombardo en Galicia: siglo XI. Arquerías ciegas, bandas con bajorrelieves de animales, óculos, etc. Playa de Perbes. Si se sigue desde aquí la carretera a Puentedeume, paisaje e iglesia de Centroña, donde también se hallaron restos de villa romana. Demostración que el tejado de pizarra es de empleo antiquísimo en Galicia.

También desde Campolongo, subida a San Miguel de Breamo. Iglesia románica del siglo XII, purísima. Planta de cruz latina, bóveda de crucería —inusitada en la época—, tres ábsides semicirculares, capiteles, canecillos, rosetón. Grandes sillares. Imagen románica, pétrea, de San Miguel. Romería el 8 de mayo.

Pontesdeume, o Puenteudeme, al pie del Breamo, en la desembocadura del Eume y su ría. Uno de los lugares más bellos de Galicia. Largo puente medieval que une la belleza a la belleza. Con gran cantidad de arcos, muchos de ellos desgraciadamente cegados. De legendaria construcción. Torre de los Andrade. Soportales. Iglesia de Santiago, del gótico final —siglo XVI— en el interior. Fachada neoclásica. Santuario de Ntra. Sra. de las Virtudes o del Soto. Hacia 1675. Planta de cruz latina de una nave. Retablo barroco. Romería famosa.

Puentedeume tiene, como Cabañas, buenos hoteles. Motel "La Ría". La maravillosa playa de Cabañas es, en gran parte, un pinar. En la comarca, grandes tejos.

La Espenuca, monte cortado a pico sobre el Mandeo, domina desde esta cumbre un extenso panorama. →

Puentedeume. Vista panorámica.

Torre de los Andrade.

Oso y jabalí, divisa de los Andrade, procedentes del puente y que ← se hallan actualmente en el Ayuntamiento. Siglo XIV.

MONASTERIO DE MONFERO

...Quietud del Monasterio
en el verdor derramado de castaños.

San Félix de Monfero. Fundación cisterciense del siglo XII. Situado en la sierra de Moscoso, entre los ríos Lambre y Eume. Ruinoso edificio en valle fértil. Lugar solitario y agreste. Tras frondosos pinares.

Proporciones gigantescas. Reconstruído a mediados del siglo XVI por Juan de Herrera, homónimo y paisano del constructor de El Escorial. Hacia 1620 planeó las obras actuales Simón de Monasterio. Iglesia de planta de cruz latina. Una sola nave. Alzado de pilastras adosadas. Bóveda de cañón con casetones cuadrados, divididos por arcos fajones. Cúpula sobre pechinas. Cubierta de tejado octogonal, como en Sobrado.

La fachada de la iglesia que, como es tradicional en los monasterios gallegos, forma ángulo recto con el edificio conventual, se terminó en 1655. Colosalismo y monumentalidad. Cuatro enormes columnas compuestas, flanqueadas por dos pilastras estriadas de la misma altura de la fachada. Plasmación de la grandiosidad y atrevimiento en las soluciones de los monasterios gallegos. Tanto por sus órdenes gigantes como por el ajedrezado de sus muros con granito y pizarra. Con lo que interviene en ella no sólo la línea y el dibujo, sino el color. Que produce, con la sombra de los altos árboles de la extensa explanada frontal, la sensación de cromatismo, profundidad y dinamismo barroco. Los frontones en triángulo isósceles, las molduras de las cegadas ventanas, las tallas gruesas de los capiteles, los perfiles salientes de la cornisa, muestran la tendencia gallega de labrar la piedra profusamente y la aguda expresión del sentido plástico.

La capilla de la Virgen de la Cela se terminó en 1666. La barroca "chirola" o sacristía se construyó en 1716. Sepulcros de nobles. Interesante cocina.

Las fuentes de los claustros —gótico, renancentista y barrocos— y la hiedra, dan un aspecto romántico al conjunto. Se celebra una importantísima romería típica en la festividad de la Virgen de la Cela, el día 8 de julio.

Monfero guarda entre sus labradas piedras, en que la grandeza y la ruina se aunan, la sombra de altas montañas, el rumor de pinos, el silencio, agua de fuentes puras y fluir de ríos. Oraciones y sombras de oraciones y trabajo. Ecos de ciervos del Cancionero. Pétreas tumbas de grandes señores y terrenas de monjes, en su cementerio, ornadas con conchas de veneras del lejano mar.

Monasterio de Monfero, en el paisaje agreste.

Monasterio de Monfero: Sepulcro señorial.

Monasterio de Monfero: Claustro del último gótico, aboveda-do con nervios y clavos colgantes. Traza de Juan de Herrera (s. XVI).

Monasterio de Monfero: Colosal fachada de la iglesia planeada por Simón de Monasterio (s. XVII). →

En el caserío de Puentedeume destacan las torres barrocas, obra de Alberto Ricoy, siglo XVIII, de la Iglesia de Santiago, y la Torre de Andrade. Al fondo, la playa de Cabañas y su pinar.

MONASTERIO DE SOBRADO

Una lágrima dulce que anegara las luces.

Sobrado adquiere su carácter a la llegada del Cister en 1142. Con el arquitecto, el lego Alberto, que diseñó la construcción. Es Monumento Nacional. Inmediata a él se halla una laguna artificial que surtía al Monasterio.

Colosalismo y majestuosidad. La planta de su iglesia es la mayor de las de monasterios de Galicia. Cruz latina. Tres naves. Gran transepto.

La fachada principal —terminada en 1666— de espejo y torres. Inmensas proporciones y decoración en la que no quedó piedra sin labrar. Órdenes gigantes corintios, columnas recubiertas de decoración menuda vegetal. Muros con casetones de punta de diamante. Fontones curvos. Hornacina con imagen de la Virgen. Columnas salomónicas de piedra, empleadas por primera vez en España. Sartas de frutas, querubines, escudo con águila bicéfala, y volada corona imperial. Ventanas de frontones. Pedro de Monteagudo, fue el arquitecto.

Sobrecogedora longitud y altura de las naves. Arcos formeros con casetones, pilastras, óvalos, lunetos, escudos, puertas con decoración de sartas, frontones curvos... En el crucero, sobre pechinas, media naranja con su linterna. Su exterior, está cubierto con cuerpo octogonal.

Capilla Mayor entre la Sacristía, la más bella obra renacentista gallega, con cúpula sobre veneras y abocinado y curvo arco de entrada, de Juan de Herrera (1569-1572), y la capilla del Rosario, con puerta y cúpula, primera realización de capilla barroca en Galicia. La decoración como elemento principal. Obra de Pedro de Monteagudo. Gótica, y reconstruida en 1617, es la de la Magdalena.

Claustro de las Procesiones. 1560-1744. Decoración renacentista. A este claustro se abre la Sala Capitular, románica, y la cocina más espléndida de Galicia con columnas exentas y nervaduras en torno de la enorme chimenea. Claustro Grande. Y el de la Hospedería (1623-1632). Clasicista de la escuela compostelana. La Maristela, escalera principal (1635-1638). Desacertadamente restaurada.

Sobrado es monumental sombra granítica del poderío monástico medieval gallego. Transcurrían los trabajos y los días en el "ora et labora", las procesiones en sus claustros, el "scriptorium", su increíble cocina, sus feudos inmensos y sus limosnas pródigas.

Ha sido reconstruido por la tenacidad del P. Cid. Actualmente hay Comunidad. Y buenos alojamientos, y cocina para los visitantes.

Sobrado de los Monjes. Iglesia del Monasterio. Fachada, obra de Pedro de Monteagudo, terminada en 1666. →

Iglesia del Monasterio de Sobrado de los Monjes: Barroca puerta de la Capilla del Rosario, de Pedro de Monteagudo (s. XVII). Cúpula de la Sacristía de Juan de Herrera (s. XVI).

Elementos renacentistas e iniciación de la cúpula sobre veneras, en la Sacristía de Juan de Herrera.

RÍAS DE PUENTEDEUME Y FERROL

Espejo inquieto de colinas verdes.

Próximo a Puentedeume el Monasterio de Caaveiro. Fundación de San Rosendo. Solitario y en paisaje de bravía vegetación. Iglesia románica del XII, de una nave y ábside semicircular. Portada. Subterráneos. Carretera que bordea el Eume. Paisaje del río entre fragas. Cotos de muy abudante pesca. Cercano, el salto de agua de La Capela.

Castillo roquero de Andrade en la Noguerosa, sobre el monte Leboreiro. Panorama que domina las rías, Puentedeume, sus puentes, sus playas. Las torres son concesión de Enrique II a Fernán Pérez de Andrade. Siglo XIV. Iglesia románica de Doroña. Siglo XII.

En la carretera a Ares, vista de la playa de Cabañas y la ría: pequeña desviación a Redes. Ares es pueblo cuidado y pescador. Iglesia parroquial con arcos de herradura. La iglesia-fortaleza de Lubre, con curioso alpendre en su atrio, es románica-ojival, del siglo XV. Playa de Raso. Camping de Seselle. Carretera hacia la Coitelada, con paisaje dominador de rías y mar abierto. La ermïta de Chanteiro es románica-ojival y costeada por Andrade. Siglo XIV. Curioso y rústico tímpano. Se celebra en ella un famoso voto ferrolano. Montefaro, con una de las más bellas panorámicas de Galicia, domina las rías desde La Coruña a El Ferrol. Del convento de Santa Catalina, siglo XIV, quedan esbeltas arcadas ojivales y bellísimos capiteles. Jabalí de los Andrade. Retablo barroco en la capilla. Imagen de la Santa titular. Capiteles y otros restos arqueológicos en el jardín de camelios.

Después de la punta de Segaño y la angosta entrada a la Ría, en que está el castillo de la Palma enfrentado al de San Felipe, la Ría de Ferrol. Una de las grandes maravillas de la naturaleza. Mugardos, pescador, con muelles frente a la playa. De tradición histórica y marítima. Antigua iglesia parroquial. Como en toda la carretera, que bordea la Ría, vista desde El Seijo, con buena playa. Fene y Perlío, muy bellos. Tienen los astilleros de Astano. Al fondo de la Ría, de unos 12 Kms. de longitud, Jubia. Cercano, el Monasterio de San Martín. Iglesia románica de planta basilical, tres naves y ábsides semicirculares. Siglo XII. Arcos peraltados y capiteles de influjo compostelano. Ventanas. Canecillos. Sepulcros. En Neda, la iglesia de San Nicolás, gótica, siglo XIV, de una nave y un ábside rectangular. Capillas del XV y XVI. En Jubia, antigua Casa de Moneda y coto pesquero. A pocos kilómetros, castillos de Narahío —roquero— y Moeche. Siglo XIV, de los Andrade.

Castillo roquero de la Noguerosa (s. XIV). →

En la fraga que envuelve el río Eume se halla el Monasterio de Caaveiro. Con su ábside del siglo XII.

Panorama de Ares desde un avión.

Vista aérea de Mugardos, en la Ría de El Ferrol.

EL FERROL

El enjambre de líneas hacia el goce de imágenes sin vértigo...

Se entra en El Ferrol por gran avenida que desemboca en la Plaza de España. Si por ferrocarril, desde Betanzos, paisajes al borde del mar.

El Esteiro es una de las tres grandes partes en que se divide El Ferrol. En el barrio de San Amaro, el Convento de la Esperanza.

El Ferrol es, fundamentalmente, la Ría, la ordenación neoclásica de sus calles y los astilleros. Aunque con antecedentes históricos de tradición marina, su verdadera significación la adquirió en el siglo XVIII. Y refleja el momento histórico que le dió el ser. Ciudad trazada por el Estado. El Ferrol Nuevo es Geometría y Lógica. Monumentos, calles, edificios, tienen la línea, el aire y la armonía de lo pulcro, ordenado y racionalizado.

Entre dos plazas simétricas de unos 10.000 m^2, la de Armas y la de Amboage, se extienden seis calles totalmente rectas de cerca de 1 Km. de longitud. Destaca por su animación y comercio la Real, con su Casino decorado por el pintor Bello Piñeiro. También en esta calle, pinturas de González Collado. Las transversales son asimismo rectas y paralelas.

En la calle de la Iglesia, la Catedral de S. Julián, neoclásica, de finales del siglo XVIII, y el Teatro Jofre. Bellos, el Cantón de Molins y los Jardines.

En el tránsito de El Ferrol Nuevo al Viejo, el Parador de Turismo. Y también el Parque Municipal. El Ferrol Viejo, de origen medieval, tiene tortuosas y desiguales calles, entre las que destaca la Plaza Vieja y la calle de San Francisco. La Iglesia del mismo nombre es del siglo XVIII. La iglesia del Socorro, también del siglo XVIII, tiene la imagen del Cristo de los Navegantes, uno de los venidos por mar a Galicia, y de ella parte la procesión-romería al crucero de Canido que con el voto de Chanteiro constituyen dos curiosas tradiciones ferrolanas.

Aunque son más concurridas las hermosas playas de sus alrededores, en la zona urbana se encuentran las de Copacabana y Caranza.

En El Ferrol surgió, con el antecedente de Pérez Villaamil, una escuela pictórica paisajística gallega y grupos poéticos como el de "Aturuxo". Y grandes personalidades marinas, jurídicas, literarias, profesorales y políticas.

El Ferrol: Vista parcial aérea. →

Nocturno en la Plaza de España. →

El Ferrol. Parador Nacional de Turismo.

El Ferrol. Puerta del Arsenal.

ASTILLEROS, MUELLES Y ALREDEDORES DE EL FERROL

La curva playa, el horizonte abierto.
Gaviotas.
La fresca mano azul de brisa, tiembla.

Arsenales, defensas, astilleros, fueron desde el siglo XVIII la base económica de El Ferrol. La dinastía borbónica no quería perder el dominio del mar, necesario para las relaciones con América, y por ello ya se hicieron instalaciones navales en La Graña en época de Felipe V y se crearon por Fernando VI y Carlos III los astilleros de El Ferrol. Toda la Historia de la Marina Española está desde entonces vinculada a este puerto. Que es capital de Departamento Marítimo, y cuyas instalaciones navales dependen actualmente de la Empresa Nacional Bazán.

El muelle mercantil y pesquero de El Ferrol es el de Curuxeiras, de donde parten todos los barcos en los que se pueden hacer deliciosas excursiones por la Ría. Se continúa con el muelle Fernández Ladreda. La Feria del Mar se instala en Punta Arnela, Barrio de la Malata, a 2 Kms. del centro, en uno de los numerosos recodos de la Ría y a donde se llega o por Canido o por la cuesta del Raposeiro.

Entre las instalaciones pesqueras de El Ferrol destaca la "Pybsa", bacaladera.

Las inmediaciones de El Ferrol tienen una gran abundancia de flores. Y también son floridos sus propios jardines. Es obligada la visita a la cercana ermita de Chamorro, de venerada y antigua Virgen, desde donde se contempla magnífico panorama. Iglesia románica de El Couto, a 5 Kms.

La Graña, base de astilleros desde el siglo XVIII, con carretera de espléndidas perspectivas hasta el castillo de S. Felipe, que cierra la Ría. El cabo Prioriño, de no buen acceso, con el panorama del Monte Ventoso. Más fácil es llegar a la Playa de Doniños, con su laguna, el recuerdo de Fernán de Esquío, poeta del Cancionero y la tradición de una ciudad "asolagada" o sumergida. Playa de S. Jorge de gran extensión. El cabo Prior domina la playa de Sta. Comba o de Covas. Por la costa, otras playas como la de Ponzo, Casal, etc.

En la carretera a Cedeira —progresivo, turístico— Valdoviño, con la playa de La Frouxeira y camping. Edificaciones e instalaciones que atienden más al aspecto comercial que al estético, pueden comprometer seriamente la belleza de este lugar de veraneo. La carretera de Valdoviño a Cedeira, es una serie ininterrumpida de bellísimos paisajes. Bordea la playa de Villarrube.

Botadura en Astano. →

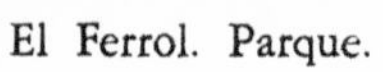

El Ferrol. Parque.

Panorámica de la Ría desde Chamorro.

Laguna y playa de Doniños.

Playa de Valdoviño.

San Andrés de Teixido, el mar y las islas Gabeiras.

Teixido: Imagen de San Andrés.

Tras la angosta entrada, la espléndida Ría de El Ferrol. La ciudad enfrente y Mugardos a la derecha, contemplados desde Montefaro. →

CEDEIRA Y SAN ANDRÉS DE TEIXIDO

Y las nubes son ansias,
a veces piedra y gaviotas siempre.

La ría de Cedeira está situada entre la Punta de Pantín y la del Sarridal, con cerca de un Km. de anchura. Hacia el Sur, la playa de Loira, en la ensenada de Esteiro. El cabo Promontoiro divide en dos la ría y la costa se continúa con las playas de San Isidro, la Magdalena y Campolongo. Toda ella forma un gran playal cortado por el río Saiñas que pasa entre los malecones de Cedeira y se prolonga por Arealonga. Paisajes calmos, costa baja, playas, pueblo trabajador, blanco y pescador, con buen muelle, Cedeira es concurrido lugar de veraneo. Iglesia de Sta. María, del gótico final. Desde el Sarridal comienza la costa abrupta y escarpada hasta el Cabo Ortegal.

Al pie de la Sierra de la Capelada, que se adentra en el mar, San Andrés de Teixido. Lugar de peregrinación desde remotísimos tiempos. El misterio ancestral de la brava costa, de peregrinaciones a lugares que lindan con la muerte, la estela de paganismo posteriormente santificado, se halla en San Andrés de Teixido. Ritos de muerte, o de simbolismos amatorio o sexual. La "herba de namorare" (yerba de enamorar), los "amilladoiros" o montones rituales de piedras que conducen y acumulan los peregrinos, las figuras arcaicas hechas con masa de pan, las ramas de avellano —ya cantadas en el Cancionero Gallego—, los centenarios tejos. Y otra barca de piedra: la que transportó a San Andrés. La fuente milagrosa de los tres caños en que la miga de pan arrojada a sus aguas, descubrirá el misterio de la vida y de la muerte. El camino desolado y difícil, las altas rocas, los verticales acantilados, las grandes aves marinas o terrestres. "A San Andrés de Teixido va de muerto el que no fue de vivo". Convertido en lagartija u otro animal terrestre que recorrerá en la noche el largo de su tumba. Hombres o mujeres arrodillados, o mejor a gatas, por el desnivel torturante, se deslizan penosamente. Iglesia de una sola nave, altares barrocos, escultura barroca del Santo. El Santuario está a doscientos metros sobre el nivel del inmediato mar. Y desde las alturas dominantes, se contempla allá abajo el vuelo pausado de las grandes aves, los pequeños humos de los cohetes de las fiestas gallegas y la breve mancha del reducido caserío. Y el inmenso mar y las islas Gabeiras y la costa escarpada. Consejas, nieblas, mar, fe y leyendas, envuelven a San Andrés de Teixido, que, con la de Finisterre, son de las más antiguas y enraizadas tradiciones de Galicia.

San Andrés de Teixido. Fuente de la vida y de la muerte y torre de la Iglesia. →

Cedeira y su ría.

Santa Marta de Ortigueira.

DE LA RÍA DE SANTA MARTA A LA ESTACA DE BARES

Con sus aguas sumisas como lago bellísimo.

Desde Cedeira o Jubia, se llega a la Ría de Santa Marta. Milagro de hermosura. Tiene forma sigmoidea y unos 10 Kms. de longitud y de 1 a 3 de anchura. Tranquila y transparente, con mucha pesca, dominada por la Sierra de la Capelada o el Miranda, a la que llegan numerosos breves ríos, se miran en ella once parroquias y la adornan bravos bosques o pausados valles. Barra de entrada, que señala la isla de San Vicente. Deliciosos pueblecillos como Figueiroa, Sismundi, Feás, S. Adrián de Veiga, Mera o San Claudio. Playa de Fornos. Ensenadas como la Ortigueira, Feás o Mera. Pero es Santa Marta quien caracteriza la ría. Que ha de contemplarse recorriendo la carretera a la playa de Morouzos, de 4 Kms. En sus dunas, sombra de pinos y eucaliptos. Se continúa con la del Cabalar.

Santa Marta tiene tradición culta. Castro del Campo de la Torre donde estuvo el castillo de los Condes y la antigua población amurallada. Buen malecón. Punta de Requeixo. Jardines. Iglesia amplia y moderna. Altar Mayor, barroco, del siglo XVIII. Altar del Rosario de la primera mitad del siglo XVII. Secularizado convento de Santo Domingo. Romerías a los Remedios y S. Andrés.

Desde Mera, con río de abundante pesca, carretera de bellas perspectivas de la Ría y pueblos como la Piedra —con el románico más septentrional de España— se llega a Cariño. Blanca y extensa playa: "La Concha". Población industrial. Veintitantas fábricas de conserva. Pueblo pescador. Deliciosa y breve playa: la del Mallorquín. Puerto abrigado por malecón rompeolas.

Con pequeña desviación de la carretera de Vivero, desde Ortigueira, el puerto de Espasante, con flota bonitera y playas a ambos lados. Magnífica la de San Antonio. Otras playas, como la de Picón, en la costa. La vista de El Barquero, en la carretera a Bares, domina la playa de Arnela, los puentes, la ría, la desembocadura del Sor, el pueblo con techumbre de pizarra, gris entre los verdes, azules y dorados y los más varios matices de luz. Impresionante la Estaca de Bares con su faro en lugar desolado y bravío. El de mayor latitud Norte de España, en que los aviones trasatlánticos toman rumbo. El puerto de Bares, con su "coido" prerromano y excelentes playas, une la ruda fiereza del mar y los acantilados con el comienzo de la blanda quietud de la ría de El Barquero. Y el Sor, río de buena pesca y hermosas riberas, limita la provincia.

Cariño.

El Barquero.

Vista parcial del Puerto de Bares.

El Cabo Ortegal desde la Estaca de Bares.

← El "coido" de Bares.

DE LA CORUÑA A BERGANTIÑOS

Y crujen los pinares —feliz calma—.

Al pie del Monte de San Pedro, el pintoresco Portiño, pescador y marisquero. Nuestra Señora de Pastoriza, a 5 Kms., es uno de los más antiguos santuarios de peregrinación mariana de Galicia. Cercado de árboles, con atrio. Gracioso crucero popular. Una nave, con Capilla Mayor —obra, como la sacristía barroca, de Domingo Maceiras— que termina en un camarín. Único ejemplo en Galicia en el siglo XVII. Fachada con sentido de retablo, por Domingo Pérez y Blas do Pereiro, que recuerda la Puerta Santa Compostelana de este autor. En pared lateral, tímpano románico. Edificio original y no imitado. Profusa decoración barroca en el interior. Muy venerada imagen de la Virgen. Concurridísimas romerías. En el monte, Virgen pétrea. Panorama desde el Monte Suevos. En Punta Langosteira, amplia visión de la costa.

San Tirso de Oseiro. Iglesia románica del XII. Abside rectangular, canecillos, portada con arquivoltas y tímpano de cruz flordelisada. En la costa, playa de Rañal. Y la de Sabón, o Alba, abierta, solitaria, inmensa. En Arteijo, baños termales. Cerca, se celebra en septiembre la desconcertante romería de Santa Eufemia. Interviene en los ritos el trébol de cuatro hojas que se encuentra en su atrio. En los contornos, iglesia románica de S. Estebo de Morás, siglo XII, con atrio de olivos. Ménsulas, canecillos, capiteles y pórticos románicos. La de San Martiño de Lañas, de comienzos del XIII, de una nave y ábside rectangular y dos portadas. En Monteagudo, iglesia de Santo Tomé, del XII, con tres naves y ábsides semicirculares. Santa María de Loureda conserva la estructura y elementos románicos. Retablo barroco con imagen de la Virgen, obra de Ferreiro.

En Arteijo, desviación a Cayón. Playa de Balcobo, con su "Furna do Galo", y la de Barrañán, espléndida. Ni estas playas ni la de Sabón son apropiadas para bañarse por el peligroso oleaje. Cayón es un increíble pueblecito marinero dentro del ronco mar bravío, en pequeña península. Antigua base ballenera. Convento de agustinos y casa señorial. Su ambiente es aroma de mar y cordial vida marinera. Playa breve, puerto y mar.

Por la carretera de Finisterre, después del valle y Pazo de Anzobre, Laracha. Iglesia románico-ojival de Soandres. Carballo es progresiva población y centro de la comarca de Bergantiños, tanto administrativa como económicamente. La playa de Razo, a 7 Kms. de Carballo, enorme y atlántica, es la más concurrida por los carballeses.

En todo Bergantiños, maíz, patata y pinares. Innumerables hórreos.

Cayón, en pleno mar.

La península de Malpica, también en el Atlántico.

TIERRAS Y MARES DE BERGANTIÑOS

Viento marino de la costa abierta,
feroz y hermoso forjador de espuma.

Buño, alfarero. Malpica: península, puerto y playa. Ambiente pescador. En Malpica se escuchará el relato increíble de una ola inmensa que, en reflujo del ímpetu con que batió la costa, derrocó el gran muelle protector. Fantasía propia de marinos. La sitúan en un diciembre de los últimos años. El viajero que busque únicamente la placidez de una Galicia femenina, no la debe creer. Pinturas de Lugrís en la Casa del Pescador, obra de González Cebrián. El Monte de S. Adrián con carretera hasta la cumbre, domina Malpica y las Sisargas —Grande, Malante y Chica—. Al pie del Monte, ermita de S. Adrián con famosa romería. Ensenada, puerto y playa de Barizo. Torres de Mens, feudales del XV. Iglesia del XII.

Ponteceso en la desembocadura del Anllons. Paisajes en el camino a Corme, pueblo pescador. Playa. Ronco oleaje en el Roncudo. De famosos percebes.

De Ponteceso a Laxe, paisaje de la ría y playa de Balarés. Ante Laxe, la blanca playa de este pueblo de pequeñas plazas y casas solariegas. Destaca la del Arco. Termina en la punta Insua. Iglesia románica del XIII, junto al mar. Relieves adosados. En el interior, tallas de piedra con escenas de la Resurrección. Cercanas, minas de kaolín. El 17 de agosto, los voluntarios náufragos de un barco, transportan en procesión a la Virgen, después de su salvamento. Hacia el Sur, la abierta playa de Traba. Desde Laxe puede tornarse a Bayo, entre pinares. A 2 Kms., las Torres do Allo, pazo de finales del XV. Iglesia de S. Pedro, de inusitado estilo Renacimiento rural. En un ramal de la carretera de Bayo a Ponteceso, el Dolmen de Dombate de la Edad de Cobre.

Vimianzo. Castillo de los Moscosos. Casa señorial de Trasariz. Hacia la costa, Ponte do Porto, al fondo de la Ría de Camariñas. En su iglesia, retablo de Ferreiro. Impresionantes, el puerto pescador de Camelle, Arou y su playa.

Por Xaviña, con iglesia románica, se llega a Camariñas, puerto pesquero con playas. Centro de la famosísima artesanía de encajes. Innumerables "palilleiras" tejen la espuma del mar.

Cabo Vilán. En invierno, mar totalmente blanco, moviéndose en planos. Tremenda dimensión trágica del mar. Pequeño gigante frente al Atlántico, el faro y su alta roca dominadora.

De paso a Muxía, Cereixo Iglesia del XII y Torres señoriales del XVII. Iglesia de Ozón. Enorme hórreo. En la costa, playa del Lago. S. Julián de Moraime, románica. Tres naves y ábsides. Original pórtico. Figuras superpuestas en las jambas. Muros inclinados.

← Laxe. Plaza del Arco.

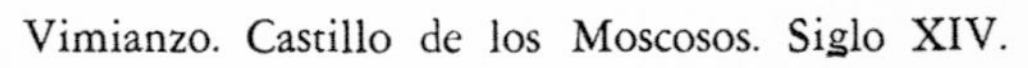

Vimianzo. Castillo de los Moscosos. Siglo XIV.

Torres do Allo, único pazo de estilo manuelino en Galicia, de hermosos arcos, escudos y balcones calados.

Rederos en el breve y bravo Puerto de Camelle.

Cabo Vilán, el altivo vigía de la Costa de la Muerte.

← Playa del Lago, en la Ría de Camariñas.

Muxía: Retablo de Nuestra Señora de la Barca, obra de Miguel Romay. Primera mitad del siglo XVIII.

Noya: Marea baja

La Coruña y el mar en el crepúsculo, desde Santa Cruz, nos acompañan en la impresión añorante de hermosa despedida.

COSTA DE LA MUERTE

Y cruje la blancura de los mares,
la espiral de la torre y la del viento.

O de la Vida. Combate continuo del mar y la roca, enfrentamiento heroico y cotidiano del hombre con el mar. Abierto y bravo, vientos atlánticos y recios, rocas algosas y batidas. Salvamento —siempre milagroso, pero siempre con tesón humano— de naufragios. O la mancha negra del luto extendiéndose a través de las mujeres del pequeño pueblo. También, entre los puertos que avanzan en el mar, las penínsulas pobladas en cuyas rúas penetran las olas o los verticales precipicios de los acantilados, plácidas ensenadas o playas. Tétricas leyendas de la costa. El resto del naufragio como antiguo medio de posible supervivencia. Y, sin embargo, nadie tan cordial, tan generoso, tan devoto, como el pescador gallego. Por antonomasia, el de la Costa de la Muerte.

Se extiende desde el Cabo de San Adrián. Se adelanta en ella —con panoramas atlánticos— el Nariga, el Roncudo, la Punta Insua de Laxe, el Tosto, el Vilán, por el Norte. En el Sur, el de la Buitra, el Touriñán —lugar más occidental de España—, el de la Nave. Y Finisterre.

Y en el centro, Muxía. Piedra, mar y heroismo. Roca brava, horadada a veces en grutas o playas. Península combatida ferozmente por el mar. Sus gentes luchan contra las altas, inmensas olas de gran rugido blanco, mugidores vientos. Tiene un templo románico del XIII. Y casi en el mismo mar un santuario del XVII con la venerada Virgen de la Barca. Que llegó a Muxía en barca pétrea. Lo que narró en octavas reales, Rioboo y Seixas, en 1728. Uno de los centros de peregrinación gallega, con famosísima romería. Retablo barroco de Romay. En la península, también piedra, el Monte del Corpiño. Pueblo admirable. En la "Pedra de Abalar" se baila ritualmente la "muiñeira". A la "Dos Cadrís" se le atribuyen curaciones.

Cee y Corcubión en hermosa ría. Casas de patín en Corcubión, rincones —Puerta del Sol— en Cee. El Motel "El Hórreo", por F. Albalat, se acomoda a su declinante posición sobre la ría. Corcubión es pueblo muy cuidado. Iglesia de S. Marcos: Una nave y capilla rectangular. Arcos apuntados y semicolumnas adosadas de tradición románica. Molduras y canecillos. En la afortunada reconstrucción terminada en 1967 apareció nuevo rosetón gótico, basas de columnas, hornacinas, adosadas veneras y capiteles. La imagen de S. Marcos es veneciana y venida por mar. Playa de Sta. Isabel en el pueblo. Y la de Quenxe, con "camping". Hacia el Cabo de Cee, castillo "El Cardenal" e iglesia de S. Pedro de Redonda. Siglo XII. Camino de Finisterre, las bellas playas de Estorde y Sardiñeiro. Y la de Langosteira.

Muelle de Muxía.

Pétreos, vetustos hórreos dominan la ría en Corcubión.

Vista aérea de Corcubión y Cee.

FINISTERRE

Los planos de la mar, la barca heroica,
la sal aullante en los acantilados.

Fin de la Tierra. Límite geográfico del Mundo Antiguo. También entre la Vida y la Muerte, lo temporal y lo ultraterreno. La Muerte es precursora de la Resurrección. Los símbolos se unen —como en tantas otras culturas— a los de fecundación. Las veneras son atributo de Afrodita. También signo de sepulcro. Y de Resurrección. El Sol —La Vida— se hunde, ante el religioso terror de las legiones romanas de Decio Bruto, en el mar de Finisterre. Pero ha de renacer.

Entre nieblas de leyenda, el perfil del Cabo de Finisterre renueva muchas lecturas clásicas. Es uno de los grandes mitos europeos. Raíz de la propia Galicia, encarna el misterio de la Vida y de la Muerte —"Ara Solis"— y la fecundación —lechos de piedra para matrimonios estériles, San Guillermo y su ermita, el paso, de efectos fecundantes, de las ballenas...— La Resurrección no sólo perduró en el símbolo de las veneras, que recogían los peregrinos medievales a Santiago en la playa de Langosteira, sino que aún se representa en la iglesia románica contigua a Finisterre, el día de Viernes Santo, la ceremonia del "Desenclavo", en la que intervienen personajes e imágenes. Pero también se celebra, dramáticamente, en la colina inmediata, la Resurrección en el Domingo de Pascua. Las campanas al vuelo, la suelta de palomas, las bombas de palenque, típicas de las fiestas gallegas, terminan en el atrio con muy curiosa y antigua danza de jóvenes vestidas con trajes regionales en la que entrelazan palillos de modo rítmico. La cristianización de antiguo mito.

Se llega al pueblo después de pasar por el silencio de una gran ciudad sumergida legendariamente: Duyo. Finisterre es otro pueblo pescador. Bella plaza, antiguas casas con escudos, breve muelle protector. Capilla del Buen Suceso, del siglo XVII. En sus aledaños, con notable crucero, el templo del siglo XII, con aditamentos posteriores, especialmente de finales del XV, de una nave y un ábside rectangular. En él, el famoso Cristo, "Santo da barba dourada", que es uno más de los Cristos gallegos venidos por mar. Amparo de los marinos, sus devotos. Retablo lateral de Ntra. Sra. de Finisterre, por Francisco de Anta, 1640.

Carretera al borde de los acantilados, verdosos de pinos, conduce al final del promontorio en que destaca el Faro. Se divisa el islote Centolo, los paisajes de rocas y cabos, la playa inmediata y abierta de "Area do mar de Fora", y el horizonte. Y se siente el estremecimiento de la leyenda viva.

Finisterre: Fachada, con originales arcos exentos, de la iglesia románica.

← Vista del Cabo de Finisterre.

"Santo Cristo de Fisterra, — Santo da barba dourada".

Finisterre. Escena de la representación dramático-litúrgica del "Desenclavo".

El beso de la imagen de la Virgen a su Hijo en la representación del "Desenclavo".

Danza de los palillos en la Fiesta de Resurrección.

DE CEE A MUROS Y NOYA

Azul calma.
Baja y abierta curva y gaviotas,
y la hoja de la brisa
en el perfil de los silencios claros.

Fábrica de Brens. Factoría ballenera de Caneliñas. Castillo del Príncipe en Ameixendas. Playa de Gures. Vista panorámica de la costa y Finisterre. Ezaro, con playa, desembocadura del Jallas en cascada, y el Pindo, al pie del impresionante monte de su nombre, con su playa. Iglesia con retablo de piedra en la Sacristía.

Iglesia de S. Mamede de Carnota. Buena traza y bóveda, una nave, alta torre. Retablo de Pablo Rosende y Francisco Nogueira, arquitectos, y Gambino y Ferreiro, escultores. Del último, ocho esculturas realizadas en 1774. En Sta. Columba de Carnota, iglesia de tres bajas naves, buen trazado, altiva torre y el hórreo mayor de Galicia. La playa de Carnota tiene una extensión de 5 Kms.

Antes de llegar a Muros, paisajes y convento de S. Francisco en Louro. Muros está dividido primordialmente en dos partes: La Cerca y la Xesta. Pueblo pescador de extenso muelle y característicos soportales. Conserva parte de sus antiguas fortificaciones. Iglesia Colegiata de S. Pedro, con Crucifijo realista, venido por mar. Sta. María del Campo, románica reedificada en el siglo XIV.

Hacia Noya, Ponte Nafonso, sobre el Tambre. Iglesia de S. Orente, con esculturas de Ferreiro y el cuerpo de S. Campio, origen de muy curiosa romería. A 2 Kms. de Noya, crucero de Eiroa. En Lousame, crucero de Berrimes.

En Noya desemboca el río Traba. Antigua ciudad marítima y señorial. En la actualidad sus malecones son solamente accesibles en las altas mareas. Soportales apuntados. Buena alameda. Playales con mucho marisco.

S. Martín. Una nave con fachada de estilo compostelano en época gótica. Apostolado. Ancianos del Apocalipsis. Rosetón. Tres ábsides con largas ventanas. Capilla de Valderrama del último gótico. Frente a S. Martín, Palacio de Tapal, del XV, y crucero.

Sta. María. Iglesia gótica —1327— de una nave. Fachada con rosetón y tímpano con Epifanía. Capilla plateresca. Pila bautismal del siglo XV. Altar Mayor, barroco, del siglo XVIII. Contiguo, el famoso cementerio. Sepulcros de nobles y gremiales y marineros. Crucero y baldaquino del siglo XVI. Con relieves de rosas, fases de la luna y escenas de caza.

San Francisco. Gótica con elementos renacientes. Claustro y sacristía del Renacimiento. Casa de los Churruchaos, con ventana gótica. Colegio de Gramática.

Desde Noya se parte para la península de Barbanza y sus pueblos. O para la Ría de Arousa, con pueblos coruñeses. O para Padrón. O para Santiago. Pero este es ya otro libro.

Hórreo de Santa Columba de Carnota. →

Noya. Iglesia de San Martín: Fachada.

← Vista aérea de Muros.

Noya. Iglesia de San Martín: Detalle del pórtico principal.

En la calma de la Ría de Muros, vestigios de tiempos pretéritos.

← Noya. Iglesia de Santa María "a Nova", o Ntra. Sra. del "Don", contigua al curiosísimo y hermoso cementerio.

TURISMO EVEREST

GUIA INFORMATIVA

DE

LA CORUÑA

La mayor parte de estos datos han sido facilitados por la Delegación Provincial de Información y Turismo de La Coruña.

EDITORIAL EVEREST, S. A.

MADRID • LEON • SEVILLA • GRANADA
VALENCIA • ZARAGOZA • BARCELONA • BILBAO
LAS PALMAS DE GRAN CANARIA • LA CORUÑA

Carretera León-Astorga, Km 4,500 - LEON
ISBN 84-241-4419-8
Depósito legal: LE.141-1976

Printed in Spain - Impreso en España

EVERGRAFICAS, S. A. Carretera León-Astorga, Km 4,500. LEON (España)

DATOS GEOGRAFICOS

Situación

La situación geográfica de La Coruña se fija a los 43° 23′ 10″ de latitud Norte y 8° 22′ 33″ de longitud Oeste de Greenwich. Tradicionalmente se ha considerado a La Coruña, situada en una península, dividida en tres partes: la Ciudad Vieja; el Centro que corresponde al istmo y el Ensanche. Actualmente la extensión de la ciudad abarca barrios, polígonos industriales y constructivos que han superado, por su amplitud, esta división.

Clima

Templado y suave, con temperaturas medias durante el verano, de 20°. Abundan los días de cielo despejado. Buena luz. En el invierno la temperatura media es de 12°, sin heladas ni nieve. La constante aireación compensa la humedad debida a su situación geográfica, así como la condición de su suelo, lo que hace posible el cultivo de las más variadas especies vegetales. Observatorio Meteorológico. Ciudad Jardín. Telf. 25 32 00.

VISITA A LA CIUDAD

En una rápida visita se pueden contemplar los monumentos y sitios de interés que someramente se describen a continuación:

TORRE DE HERCULES. Monumento capital de La Coruña. Situada en la parte más septentrional de su península. Dista 2 kilómetros del centro de la ciudad, pero quedan casi a su pie los autobuses de circunvalación números 41 y 42. Faro romano, posiblemente de la época del Emperador Trajano, siglo II. La tradición cuenta que fue erigida en tiempos más antiguos. Restauración exterior del siglo XVIII. Desde el mirador de su linterna, a 104 metros sobre el nivel del inmediato mar, se divisa un espléndido panorama del Atlántico, las rías y la ciudad de La Coruña. Unico faro romano que se conserva en el mundo y que aún sigue cumpliendo su cometido. Fue motivo de inspiración de una serie de construcciones. Entre las últimas que sirvió de modelo, figura la Torre de la Escuela de Ingenieros Navales de la Ciudad Universitaria de Madrid.
Horas de visita:
De 10,00 a 13,30 y de 16,00 a 19,00 horas.

Ciudad Vieja

IGLESIA DE SANTIAGO. Románica, siglo XII, con restauraciones posteriores. Tal vez el templo más antiguo de la ciudad. Portada principal y del Oeste, así como sus tres ábsides semicirculares, de gran interés. Una sola nave de basamento románico y arcos ojivales. En el baptisterio, antiguas esculturas. Monumento Histórico-artístico.

PLAZA DE AZCARRAGA. Plaza romántica con grandes árboles y jardines. En el centro, la Fuente del Deseo. Absides de la Iglesia de Santiago. Contigua se halla la plaza del Generalísimo Franco, con el edificio de la Capitanía General y antigua Audiencia de Galicia. Construido a mediados del siglo XVIII. (Visita exterior).

IGLESIA COLEGIATA DE SANTA MARIA. Situada en la parte más alta de la Ciudad Vieja. Románica-ojival, con obras de los siglos XII al XV. Restaurada en el XIX. Planta basilical de tres naves. Para llegar a su planta hay que ascender por una bella escalinata. En su atrio, crucero típico gallego del siglo XV. Interesante portada principal y laterales. Virgen del Portal y esculturas góticas y posteriores. Sepulcros. Monumento Histórico-artístico.

CONVENTO Y PLAZUELA DE SANTA BARBARA. Fundación del siglo XV. El muro anterior a su fachada y la fachada misma, conservan bajorrelieves medievales. Convento de las Madres Clarisas. En la plazuela, de gran belleza, acacias, un crucero y antiguos edificios. Conjunto Histórico-artístico.

IGLESIA DE SANTO DOMINGO. Iglesia barroca del siglo XVIII. Capilla de la Virgen del Rosarto, Patrona de La Coruña.

JARDIN DE SAN CARLOS. Jardín romántico. Recogido y bello. Situado en la antigua fortaleza de San Carlos, de recios muros. El jardín data del año 1834. Es de planta circular y en el centro se halla la tumba del general británico Sir John Moore, muerto en la batalla de Elviña en 1809. Miradores sobre la bahía. Casa de la Cultura en la que se encuentra el Archivo Histórico de Galicia y la Biblioteca Pública del Estado. Este jardín, junto con las murallas, está declarado Conjunto Histórico-artístico.

CONVENTO DE SAN FRANCISOCO. Trasladadas sus piedras góticas a Santa Margarita. En este convento se reunieron las Cortes convocadas por Carlos I en 1520, antes de partir para posesionarse del Imperio de Alemania.

PUERTAS DEL MAR. En el Paseo del Parrote, las viejas murallas de la Ciudad Vieja en las que se abren las antiguas «Puertas del Mar», de San Miguel, del siglo XVI; «del Clavo» y «de la Cruz», ambas del siglo XVII. Son monumentos Histórico-artísticos.

CASTILLO DE SAN ANTON. En antigua pequeña isla. Actualmente con istmo de bello paseo. En la bahía y próximo a las murallas. Reedificado en 1779. Actualmente sede del Museo Arqueológico.

Horas de visita:

De 10,00 a 14,00 y de 16,00 a 19,00 horas en verano. Cerrado los lunes.

OTRAS IGLESIAS. Fuera del recinto de la Ciudad Vieja y una vez pasada la Plaza de María Pita, en la que está el Ayuntamiento, se llega a la iglesia barroca de San Jorge, declarada Monumento Histórico-artístico. Próximas las iglesias, también barrocas, de San Nicolás y las Capuchinas.

MUSEO PROVINCIAL DE BELLAS ARTES. Instalado en el edificio del antiguo Consulado del Mar, del siglo XVIII. Pintores gallegos. Pintura española antigua, flamenca, italiana y francesa. Cerámica. Recuerdos históricos de La Coruña.

Horas de visita:

De 10,00 a 14,00 y de 16,00 a 18,00 en verano y días laborables. Domingos, entrada gratuita.

OTRAS VISITAS A LA CIUDAD. Para conocer el aspecto general de la ciudad es muy conveniente recorrer los circuitos de circunvalación que efectúan los autobuses urbanos de la líneas 41 y 42. También se recomiendan los itinerarios de los trolebuses números 2 y 3. Ambos parten de Puerta Real, al comienzo de la Avenida de la Marina, de típicas galerías, y van al Mirador de los Castros y a la Playa de Riazor y Estadio, respectivamente.

PLAYAS

En la capital

RIAZOR. En el centro de la ciudad. Servicio de cabinas y duchas. Restaurantes y cafeterías. Pequeño jardín y hermoso paseo hasta la Rotonda, en el extremo de la playa, con bello panorama. Autobuses y trolebuses números 3, 7, 9, 12, 12A, 13, 13A, 15, 16 y 44. Autobuses urbanos de circunvalación números 41, 42 y 43. Un hotel de tres estrellas, un hostal de tres estrellas y cuatro hostales de dos estrellas. Apartamentos de 3.ª categoría.

ORZAN. También en el centro de la ciudad. Contigua a la de Riazor. Arena fina. No tiene instalaciones. Paseo de balconada con vistas sobre la ensenada del Orzán. Es la única de las que se citan entre las de la capital y los alrededores y de las Mariñas, que puede ofrecer algún peligro en ciertas ocasiones.

SAN AMARO. A 2 km del centro de la ciudad, en dirección de la Torre de Hércules. En pequeña ensenada. Playa abrigada. Instalaciones del Club del Mar. Autobuses y trolebuses números 4, 6, 9 y 17 y autobuses urbanos de circunvalación números 41 y 42, a unos 400 metros, en descenso.

En los alrededores

SANTA CRISTINA. A 6 km. Playa extensa de arena blanda y fina. Cabinas y casetas. Restaurantes y cafeterías. Un hotel de tres estrellas. Servicio de autobuses desde La Coruña y de lanchas que atraviesan la bahía en los meses de verano. Pista hasta la misma playa.

BASTIAGUEIRO. A 7 km. Playa extensa de arena fina, contigua a la de Santa Cristina. Autobuses de La Coruña a Santa Cruz. Restaurantes.

SANTA CRUZ. A 10 km. Pesca marítima. Dos pequeñas playas de arena fina y abrigadas. Un hotel de tres estrellas y un hostal de tres estrellas. Restaurantes y salones de baile. Autobuses desde La Coruña.

MERA. A 15 km. Tres pequeñas playas, abrigadas. Bares. Autobuses de línea de La Coruña a Sada, por la costa.

LORBE Y VEIGUE. A 18 km. Playas de arena fina y abrigadas, de bellos paisajes.

Playas de las Mariñas

Sada, Gandarío, Puente del Pedrido. Ponte

do Porco, Miño, Perbes, Boebre, Cabañas, Raso, etc. Entre los 20 v 35 kilómetros, Hermosas playas.

HOTELES

La Coruña

Hotel ATLANTICO****. Jardines de Méndez Núñez, s/n. Telf. 22 65 00.
Hotel FINISTERRE****. Paseo del Parrote, s/n. Telf. 20 54 00.
Hotel-Residencia RIAZOR***. Avenida Pedro Barrié de la Maza, s/n. Telf. 25 34 00.
Hotel-Residencia ESPAÑA**. Juana de Vega, 7. Telf. 22 45 06.
Hotel-Residencia MARINEDA**. Rosalía de Castro, 13. Telf. 22 47 00.
Hotel-Residencia RIVAS**. Fernández Latorre, 45. Tefl. 23 95 46.
Hotel- LOS LAGOS*. Polígono Residencial de Elviña. Telf. 28 62 99. (Sólo meses de julio y agosto).
Hostal-Residencia ALMIRANTE***. Paseo de Ronda, C. L., 1.º Telf. 25 96 00.
Pensión BAHIA**. Concepción Arenal, 15-5.º Telf. 23 34 11.
Hostal-Residencia CASA LOS MARTINEZ**. Capitán Juan Varela, 49. Telf. 23 89 41.
Hostal-Residencia CORUÑAMAR**. Paseo de Ronda. Edificio Miramar. Télf. 26 13 27.
Hostal-Residencia CRISOL DE LA RONDA**. Ronda Outeiro. Esq. Fco. Catoira. Telf. 23 97 48.
Hostal-Residencia FERROLANA. Riego de Agua, 14-1.º Telf. 22 25 62.
Pensión ISLA**. Fernández Latorre, 1-2.º Telf. 23 13 30.
Hostal-Residencia LAS DOS G. G. Paseo de Ronda. Edificio Bahía, 3.º Telf. 26 21 08.
Hostal-Residencia LA PERLA**. Torreiro, 11-2.º Telf. 22 67 00.
Hostal-Residencia MARA**. Galera, 49. Telf. 22 18 02.
Hostal-Residencia MAR DEL PLATA**. Paseo de Ronda. Edificio Bahía. Telf. 25 79 62.
Hostal-Residencia MAYCAR**. San Andrés, 175. Télf. 22 56 00.
Hostal MELLID**. Almirante Cadarso, s/n. Telf. 26 21 00.
Hostal-Residencia NAVARRA**. Plaza de Lugo, 23. Telf. 22 54 00.
Hostal ORENSANA. Olmos, 14. Telf. 22 40 05.
Hostal ORIENTAL** Juana de Vega, 21. Telf. 22 36 01.
Hostal-Residencia SANTA CATALINA**. Travesía Santa Catalina, 1 y 3. Telf. 22 66 09.
Hostal-Residencia VENECIA**. Plaza de Lugo, 22. Telf. 22 24 20.
Hostal-Residencia VISTA AL MAR**. Paseo de Ronda. Edf. Miramar, 3.º Telf. 25 92 49.
Hostal ALCALA*. Santa Catalina, 20. Telf. 22 53 46.
Pensión ANA*. Betanzos, 1-1.º Dcha. Telf. 22 10 81.
Pensión AVENIDA. Juana de Vega, 3-2.º y 3.º Telf. 22 36 00.
Hostal BUENOS AIRES* San Andrés, 153. Télf. 22 20 81.
Hostal-Residencia CASAL*. Linares Rivas, 9 y 10-4.º Télf. 22 67 89.
Hostal CENTRO GALLEGO*. Estrella, 2. Telf. 22 22 36.
Hostal-Residencia CONTINENTAL*. Olmos, 28. Telf. 22 24 60.
Pensión ELITE. Alcalde Canuto Berea, 2-2.º Telf. 22 56 99.
Pensión FABEIRO*. Betanzos, 1-2.º Dcha. Telf. 22 46 51.
Pensión INTERNACIONAL*. San Andrés, 170-1.º Telf. 22 12 82.
Pensión LA PRAVIANA*. Rúa Alta, 3-2.º Telf. 22 81 34.
Hostal LA PROVINCIANA*. Rúa Nueva, 9. Telf. 22 28 75.
Hostal - Residencia LAS RIAS*. San Andrés, 141. Telf. 22 68 79.
Hostal-Residencia MERCHE*. Estrella, 10-bajo. Telf. 22 80 10.
Hostal-Residencia MIRAMAR*. Linares Rivas, 9 y 10-3.º Telf. 22 89 47.
Hostal MUIÑOS*. Santa Catalina, 17. Telf. 22 28 79.
Pensión NUEVO CASTAÑO*. Alcalde Marchesi, 18-1.º Telf. 23 00 03.
Hostal-Residencia O LEON*. Estrella, 10. Telf. 22 34 47.
Pensión PALACIO*. Plaza de Galicia, 2 y 3-4.º D. Telf. 22 21 85.
Hostal PAZO SAN ANTONIO*. Plaza de Galicia, 2-3.º B. Telf. 22 27 92.
Pensión PUENTECESO*. San Andrés, 170-2.º Telf. 22 37 44.
Hostal-Residencia ROMA*. Rúa Nueva, 3 y 5. Telf. 22 80 75.
Pensión ROSALEDA*. Juana de Vega, 13-1.º Telf. 22 28 09.
Hostal SEVILLA*. Olmos, 29. Telf. 22 22 75.
Pensión VERACRUZ*. Comandante Barja, 7-2.º Telf. 25 27 56. (Habitaciones 3-4 plazas).

AGUIÑO (Riveira)

Pensión MIRADOR*. Puerto, 29. Telf. 84 00 01.

ARANGA

Hostal CUESTA LA SAL*. Monte Salgueiro, kilómetro 565, C.ª N-VI.

ARTEIJO

Hostal BALNEARIO DE ARTEIJO**. Arteijo. Telf. 60 00 14.

BETANZOS

Hotel LOS ANGELES*. Angeles, 11. Telf. 201.
Hostal BARREIRO*. Argentina, 6. Telf. 885.

BOEBRE (Puentedeume)

Hostal-Residencia MAR MOLINO**. Playa de Ber. Telf. 43 07 07. (Abierto desde 15-6 hasta 31-10).

BOIRO

Hostal-Residencia JOPI*. Cimadevila, 71. Telf. 470.

CABAÑAS

Hotel-Apartamentos SARGA***. Arenal, s/n. Telf. 43 10 00. Apartamentos de 3-4 plazas.
Hostal ABISS*. Playa de la Magdalena. Telf. 43 10 35.

CAMARIÑAS

Hostal PLAZA*. Real, s/n. Telf. 37.

CARBALLO

Hostal-Residencia RIO**. Prolongación Desiderio Varela, 3. Telf. 853.
Hostal-Residencia ALLONES*. Camino Nuevo, 2. Telf. 189.

CARNOTA

Pensión GOYANES*. José Antonio, 1-1.º Telf. 13.

CORCUBION

Hotel EL HORREO***. Santa Isabel, s/n. Telf. 154.

CULLEREDO

Hostal-Residencia LAS ARENAS***. Fonteculler. Telf. 67 91 23, extensión 590.
Hostal-Residencia CAAMAÑO*. Vilaboa-Corbeira. Telf. 67 91 23, extensión 95.

CURTIS

Pensión EXPRES*. Avenida Generalísimo, 14. Telf. 28.

EL FERROL DEL CAUDILLO

Hotel PARADOR NACIONAL***. Almirante Vierna, s/n. Telf. 35 34 00.
Hotel Residencia ALMIRANTE***. Frutos Saavedra, 2. Telf. 35 84 44.
Hostal-Residencia ALOYA**. Pardo Bajo, 28-1.º Telf. 35 12 31.
Hostal-Residencia RYAL**. Galiano, 43. Telf. 35 80 44.
Hostal Residencia BALBOA*. Sagrada Familia, 1. Telf. 35 43 84.
Hostal-Residencia BELLAVISTA*. Sánchez Calviño, 64-5.º
Hostal-Residencia CONCEPCION ARENAL*. Galiano, 14 y 16. Telf. 35 51 55.
Hostal-Residencia ESMERALDA*. Galiano, 23. Telf. 35 12 02.
Pensión MAGALLANES*. Avenida Generalísimo, 401. Telf. 35 12 49.
Hostal-Residencia MEU LAR*. Fernando Villaamil, 35-3.º Telf. 35 51 15.
Hostal NORAY*. Barbeito, s/n. Telf. 31 00 79.
Hostal-Residencia SUIZO*. Fernando Villaamil, 67. Telf. 35 31 93.
Hostal-Residencia TOKI-ALAI*. Canalejas, 98. Telf. 35 86 15.

ESPIRITUSANTO (Sada)

Hostal-Residencia ESPIRITUSANTO**. Carretera N-VI, La Coruña-Madrid. Telf. 62 04 37.

EZARO (Dumbria)

Hostal STOP*. Ezaro.

FINISTERRE

Pensión VELAY*. La Cerca, s/n. Telf. 49.

FIOBRE (Bergondo)

Pensión O PARAXE**. Carretera La Coruña-El Ferrol. Telf. 96 de Carrio. (Abierto desde 1-5 hasta 30-9).

JUBIA (Narón)

Hostal CASA BASOA*. Piñeiros. Telf. 35 01 23, extensión 524.
Hostal EXCELSIOR*. Plaza del Ayuntamiento, s/n.. Telf. 35 01 23, extensión 53.

JUBIA (Neda)

Hostal-Residencia TOMAS***. Carretera General. Telf. 31 21 00, extensión 40.

Hostal LA MARINA*. General Franco, s/n. Telf. 31 21 00, extensión 270.

LORBE (Oleiros)

Hostal-Residencia CASA MENDEZ*. Km. 6. carretera Mera-Sada.

MELLID

Hostal BOCELO. Carretera Lugo-Santiago, km 560. Telf. 167.

MIÑO

Hostal LA TERRAZA**. Avenida del Generalísimo, s/n. Telf. 7.
Hostal MAR*. Avenida José Antonio. Playa de Miño. Telf. 61.

MUROS

Hostal LA MURADANA*. Avenida de la Marina Española. Telf. 126.
Hostal MARBELLA*. Buena Vista. Telf. 233

NOYA

Hostal-Residencia CEBOLEIRO I**. General Franco, 15. Telf. 82 05 31.
Hostal-Residencia CEBOLEIRO II**. Sande y Lago, s/n. Telf. 82 05 31.
Hostal SOL Y MAR*. Avenida de San Lázaro, s/n. Telf. 82 05 10.

ORDENES

Hostal LA CHABOLA*. Km 35, carretera Coruña-Vigo. Telf. 142 y 82.
Hostal-Residencia MOAR*. Alfonso Senra, s/n. Telf. 133.
Hostal-Residencia NOGALLAS*. Angel Senra, s/n. Telf. 57.

ORTIGUEIRA

Hostal LA PERLA**. La Penela, s/n. Telf. 496.
Hostal-Residencia MONTERREY*. Avenida General Franco, 105. Telf. 135.

PADRON

Hostal-Residencia CASA CUCO**. Calvo Sotelo, 15. Telf. 80 01 23, extensión 232.
Hostal-Residencia LA PONDEROSA**. Calvo Sotelo, 2. Telf. 80 01 23, extensión 86.

PALMEIRA (Riveira)

Hotel-Residencia RIO AZOR*. Insuela. Telf. 87 13 00, extensiones 24 y 100.

PERILLO (Oleiros)

Hostal-Residencia BRIAL**. Carretera a Santa Cruz. Telf. 26 01 62, extensión 322.

PERLIO (Fene)

Hotel NOMAR*. La Torre, s/n. Telf. 34 01 91.
Hostal EL ESCORIAL*. Las Pías, s/n. Telf. 34 04 74.
Hostal-Residencia O PASO*. Chancas. Telf. 34 10 01.
Hostal RAMON*. La Torre, s/n. Telf. 34 00 36.

PUENTES DE GARCIA RODRIGUEZ

Hostal-Residencia CASA UBALDO*. Avenida del Generalísimo, 9. Telf. 45 06 05.
Hostal FORNOS* Avenida del Generalísimo, 72. Telf. 45 08 60.

PUERTO DEL SON

Hostal PEPE*. Contiña, s/n. Telf. 70.

RIANJO

Hostal BAR ELA*. General Mola, 33. Telf. 10.
Hostal FELICIANO*. General Mola, 36. Telf. 2.

RIVEIRA

Hostal MODERNO*. Rosalía de Castro, 34. Telf. 87 10 51.

SADA

Hostal-Residencia MIRAMAR**. Avenida del Generalísimo, 33. Telf. 62 00 41.

SANTA CRISTINA (Oleiros)

Hotel RIAS ALTAS***. Playa de Santa Cristina. Telf. 23 75 97.

SANTA CRUZ (Oleiros)

Hotel PORTOCOBO***. Playa de Santa Cruz. Telf. 257.
Hostal-Residencia MAXI***. Playa de Santa Cruz. Telf. 49.

SANTIAGO DE COMPOSTELA

Hotel LOS REYES CATOLICOS*****. Plaza de España, 1. Telf. 58 22 00.
Hotel-Residencia COMPOSTELA***. General Franco, 1. Telf. 59 57 00.
Hotel PEREGRINO***. Rosalía de Castro, s/n. Telf. 59 18 50.
Hotel-Residencia GELMIREZ**. General Franco, 92. Telf. 59 11 00.
Hotel-Residencia LA PERLA*. Avenida de Figueroa, 10. Telf. 59 29 50.
Hotel-Residencia UNIVERSAL*. Doctor Teijeiro, s/n. Telf. 59 22 50.
Hostal CANTABRICO**. General Mola, 13. Telf. 59 27 12.
Pensión DUWINE**. República de El Salvador, 23. Telf. 59 43 77.
Hostal ESPAÑA**. Rúa Nueva, 40. Telf. 58 12 00.
Hostal-Residencia FORNOS**. General Franco, 7. Telf. 59 51 30.
Hostal-Residencia GALICIA**. Alférez Provisional, 3. Telf. 58 16 61.
Hostal-Residencia GUIADOL**. Senra, 8 y 10. Telf. 59 49 00.
Hostal LA PAZ**. República de El Salvador, 28. Telf. 59 09 89.
Hostal-Residencia LA SENRA**. General Mola, 13-2.º Telf. 59 29 46.
Hostal-Residencia MAYCAR**. Doctor Teijeiro, 15. Telf. 59 05 12.
Hostal-Residencia MIÑO**. Montero Ríos, 10-2.º y 3.º Telf. 59 12 53.
Hostal-Residencia RIO DE JANEIRO**. Santo Domingo de la Calzada, s/n. Telf. 59 10 61
Hostal-Residencia SURIÑA**. General Mola, 1. Telf. 59 12 12.
Hostal-Residencia SUSO**. Rúa del Villar, 65. Telf. 59 36 62.
Hostal-Residencia TOURIÑO II**. Rúa Nueva, 2. Telf. 58 18 76.
Hostal VIRGEN DE LA ROCA**. Huerfanas, 34-2.º Telf. 59 33 91.
Hostal-Residencia AGUSDEL*. Pérez Constanti, 7-3.º Telf. 59 52 14.
Hostal-Residencia ANDALUCIA*. Pérez Constanti, 7-4.º Telf. 59 11 18.
Hostal AROSA*. República de El Salvador, 17-2.º Telf. 59 02 45.
Hostal-Residencia CASAL*. Alfredo Brañas, 7-3.º A. Telf. 59 28 44.
Hostal CHAVES*. Cardenal Payá, 5. Telf. 59 48 27.
Hostal DEZA*. Dr. Teijeiro, 16. Telf. 59 23 31.
Hostal-Residencia CAMPING SANTIAGO*. La Sionlla-Enfesta. Km. 56 carretera La Coruña a Santiago. Telf. 2 de Sionlla de Abajo.
Hostal-Residencia EL CELTA*. Curros Enríquez, 10-1.º Telf. 59 20 20.
Pensión EL ESTRADENSE*. General Franco, 17. Telf. 58 16 43.
Hostal ESPERANZA*. Montero Ríos, 44. Telf. 59 29 78.
Hostal-Residencia FUENTES*. Raiña, 14. Telf. 58 30 21.
Hostal-Residencia LA CONCHA*. República de El Salvador, s/n. Telf. 59 09 41.
Hostal-Residencia LA ESTELA* Rajoy, 1. Telf. 58 27 96.
Hostal-Residencia MAFER*. General Franco, 22. Telf. 59 03 98.
Hostal-Residencia MARBELLA*. República de El Salvador, 32-2.º
Pensión MENDEZ*. Travesía del Instituto, 5. Telf. 59 49 83.
Hostal MOURE*. Laureles, 6. Telf. 58 36 37.
Hostal-Residencia MOURENTAN*. Gómez Ulla, 11. Telf. 58 26 99.
Hostal-Residencia SAN JOSE*. San Pedro de Mezonzo, 32. Telf. 59 32 32.
Hostal SAN ROQUE*. San Roque, 8-1.º
Hostal-Residencia SANTA COMBA*. Calle del Franco, 20. Telf. 58 20 53.
Hostal-Residencia TOURIÑO I*. Rúa Nueva, 36. Telf. 58 18 76.

SIERRA DE OUTES

Hostal VIVES*. Calvo Sotelo, 6. Telf. 74.

SIGRAS (Cambre)

Hostal-Residencia MESON VASCO**. La Telva. Telf. 89 de Cambre.

VIMIANZO

Hostal-Residencia CASA MIRA*. Blanco Rajoy, 8. Telf. 15.

ACAMPAMENTOS TURISTICOS

CAMPING LA CORUÑA. En La Coruña. Parque de Santa Margarita. Capacidad: 245 personas. Telf. 25 11 04. 2.ª categoría. Abierto de mayo a septiembre.
CAMPING SANTIAGO DE COMPOSTELA. En el km 56 de la carretera N-550, La Coruña-Santiago-Tuy. A 9 kilómetros de Santiago de Compostela. Telf. 2 de Puente Sionlla. Capacidad: 240 personas. 1.ª categoría. Abierto de junio a septiembre.
CAMPING VALDOVIÑO En Valdoviño, km. 12 carretera El Ferrol del Caudillo-Cedeira. Capacidad: 120 personas. Telf. 48 70 12. 1.ª categoría. Abierto todo el año.

RESTAURANTES

La Coruña

2.ª categoría. 3 tenedores

ABREGO. Jardines Méndez Núñez. Telf. 22 65 00.

PLAYA CLUB-OS ARCADOS. Andenes Playa de Riazor. Telf. 25 11 00.
DUNA 2. Estrella, 2 y 4. Telf. 22 70 43.

3.ª categoría. 2 tenedores

O'LEON. Estrella, 10. Telf. 22 34 47.
FORNOS. Olmos, 25. Telf. 22 10 55.
EL RAPIDO. Estrella, 7. Telf. 22 42 21.
CASA ESTEBAN. Pardo Bazán, 27. Telf. 23 50 66.
EL SANTIAGUES. Marqués de Amboage, 28.
FERMIN. Estrella, 12. Telf. 22 90 78.
VIUDA DE SALVADORES. San Andrés, 133. Telf. 22 25 11.
ANDURIÑA. Estrella, 8. Telf. 22 80 90.
RIBADAVIA. Olmos, 12. Telf. 22 10 56.
EL ARIETE. Galera, 33 y 35. Telf. 22 21 63.
VARELA. María Barbeito, 1. Telf. 20 50 22.
NAVEIRO. San Andrés, 129. Telf. 22 28 48.
VIUDA DE ALFREDIN. Manuel Murguía, 4. Telf. 25 00 91.
CORAL. Estrella, 5. Telf. 22 27 17.
EL CLUB. San Andrés, 135. Telf. 22 28 79.
CASA RILO. Pintor Seijo Rubio, 11. Telf. 28 36 87.
O MESON. Callejón de la Estacada. Telf. 22 70 87.
OKEY. Angel del Castillo, 29. Telf. 23 50 17.
RIAL. General Sanjurjo, 88. Telf. 28 06 63.
ORTEGAL. Feijóo, 6. Telf. 22 70 02.
O COUTO. Ramón y Cajal, 18. Telf. 28 04 15.
PENALTY. Avenida Buenos Aires, 57. Telf. 25 10 45.
MARVAN. Compostela, 5. Telf. 22 59 30.
LA RIA DEL PASAJE. Jubias de Abajo, 2. Telf. 28 02 55.
TORIN. Avenida Rubine, 25. Telf. 25 00 03.
MANOLITO. Ramón y Cajal, 6. Telf. 28 20 62.
LA PRIGIONE. Agra del Orzán, 11. Telf. 25 68 33. (Italiano).
ALHAMBRA. Federico Tapia, 55.
FRATELLI RUFU. Avenida Rubine, 8-1.º. Telf. 25 10 05. (Italiano).
LOS PORCHES. Riego de Agua, 17. Telf. 22 70 77.
GUARANI. Avda. Buenos Aires, 49. Telf. 25 30 66.
O XANTAR. Tornos, 3. Telf. 25 10 71.
ASTURIAS. Compostela, 3. Telf. 22 24 36.
GAVIOTA. Ramón y Cajal, 40. Telf. 28 06 32.
LA GOLADA. Noya, 25. Telf. 23 01 92.
MESON O PIORNO. Estrella, 18 y 20. Telf. 22 90 00.
LA CABAÑA DEL CAZADOR. Torre. San Amaro. Telf. 20 00 66.
NUEVO FERROCARRIL. Marqués de Amboage, 20. Telf. 23 00 21.
FIGON SANCHO PANZA. Barrio de las Flores, 3 y 5. Telf. 28 33 94.
LAS AMERICAS. Travesía Santa Catalina, 11. Telf. 22 29 47.
EL ROBLE. San Andrés, 139. Telf. 22 90 81.
TRATTORIA FRATTELLI. Boquete San Andrés, 51. Telf. 22 90 12. (Italiano).
LA VIÑA. Puente Pasaje, 8. Telf. 28 70 03.
ESMERALDA. Plaza Pontevedra, 26. Telf. 25 11 59.
ALBORES. Villa de Negreira, 5. Telf. 25 11 77.
MANZANEDA. Ramón y Cajal, 8. Telf. 28 02 91.
AZCARRAGA. Plaza de Azcárraga, 12. Telf. 20 64 50.
REGUEIRO. Pedroso, 43. Telf. 23 01 09.
CERRO LARGO. Avenida Finisterre, 300.
VICTORIA II. Fernández Latorre, 116. Telf. 23 70 66.
MESON EL ROCIO. Félix Estrada, 2.
BOGAVANTE. Las Lagoas. Edificio Mediodía. Telf. 20 00 99.
MESON DO VIÑO GALEGO. Torre, 122. Telf. 20 00 82.
MESON LAS CAVAS. Galera, 23. Telf. 22 30 40.
JULIA. Vista, 28. Telf. 22 56 74.
MESON DEL TORO. Federico Tapia, 16. Telf. 22 10 22.
A PENEIRA. Paseo de Ronda, 15.
LOS CANDILES. Marqués de Figueroa, 25. Telf. 23 07 25.
AS CATRO RODAS. Francisco Añón, 15. Telf. 25 00 84.

4.ª categoría. 1 tenedor.

CHANTADA. Feijóó, 4.
ESTRELLA. Estrella, 22.
SOMOZAS. Olmos, 20
BARLOVENTO. Plaza de Lugo, 1. Telf. 22 10 76.
AROSA. Marqués de Figueroa, 35.
LA GRANJA. Plaza María Pita, 22. Telf. 22 73 69.
LA REJA. San Blas, 3.
CASA JESUSA. Oliva, 1. Telf. 22 19 00.
COLON. Plazuela Cormelana, 5.
CASTIÑEIRAS. Orzán, 190.
SALTO DO CAN. Olmos, 10. Telf. 22 26 43.
O XESTAL. Franja, 38.
VICTORIA. Olmos, 23. Telf. 22 10 36.
BUENOS AIRES. Fontenova. Telf. 25 13 34.
LA BARRACA. Travesía Moraña, 11. Telf. 28 02 41.
SANTISO. Franja, 26 y 28.
ANDRES. Barrera, 12.
LA MARINA. Avenida de la Marina, 21. Telf. 22 39 14.
CASA VEGA. Trocoso, 11. Telf. 20 50 60.
EL ANDEN. Marqués de Figueroa, 25.
GALLEGO. Ramón y Cajal, 20.
PUERTO DEL SON. Galera, 26.
LUGO. Marqués de Figueroa, 35.
LOIS. Marqués de Figueroa, 37.
EL MANJAR. Plá y Cancela, 17. Telf. 23 83 83.
ARNOYA. Riego de Agua, 2. Telf. 20 50 98.
VILLARMAYOR. Riego de Agua, 6.

CASA SAQUES. General Sanjurjo, 155.
RAMIRO. San Luis, 21.
VALDAYESES. Orzán, 161.
A MAROLA. Fernández Latorre, 49. Telf. 23 00 36.
ROGELIO. Millán Astray, 44.
SALMANTINO. Marqués de Figueroa, 37.
BRISAS. Carretera a la Grela.
TERRAZA. Puente Pasaje, 3.
LA FLOR DE CUBA. Travesía Santa Catalina, 4. Telf. 22 32 49.
CASA VENTURA. Orzán, 186.
CONDE. Orzán, 144.
SIBONEY. Comandante Fontanes, 3.
JAMON. Orzán, 148.
TOXO. Cordelería, 32.
FRIS. Orzán, 194.
O QUE FALTABA. Orzán, 192.
VENTOSELA. Florida, 28.
VILLA DE BAYO. Perillana, 9 y 11.
FONTENOVA. Fontenova, 21.
CARACAS. Alameda, 6. Telf. 22 26 06.
EL POLIN. Orzán, 178.
NUEVO. Marqués de Figueroa, 34.
NORTE. Fernández Latorre, 130.
O'SECRETO. Linares Rivas, 15.
CASA SANCHEZ. General Sanjurjo, 43. Telf. 28 00 64.
CURTIS. Marqués de Figueroa, 47.
MONTEVIDEO. Menéndez Pidal, 17.
PLAY BOY Marqués de Figueroa, 33. Telf. 23 90 11.
SAN LUIS. San Luis, 20.
MARQUES. Marqués de Figueroa, 27.
CANTINA. Plaza de Lugo. Puesto 8-9.
LISTA. San Luis, 39.
CASA DANIEL. Vista, 24.
DOS ESTACIONES. Marqués de Figueroa, MP.
COLOMBIA. Fernández Latorre, 26. Telf. 23 14 04.
NOCHE Y DIA. Orzán, 165.
METROPOL. Paseo de Ronda, 54.
MARISOL. Orzán, 184.
COMPOSTELANO. Compostela, 6. Telf. 22 23 98.
LOS TABOADESES. Franja, 3.
VIMIANZO. Orzán, 151.
VILLA DE ZAS. Francisco Catoira, 45.
SONEIRA. Orzán, 166.
O FADO. Las Lagoas. Edificio Mediodía, 1 y 3. Telf. 20 00 51.
LONDRES. Sardiñeira, 2. Telf. 23 00 31.
LA MARAVILLA DE LA RENFE. Capitán Juan Varela, 68.
LOS CLAVELES. Prolongación San Luis, 61.
EL APERITIVO. Torre, 73. Telf. 23 99 67.
MESON DE LA CAZUELA. Callejón de la Estacada. Telf. 22 24 48.
JOMAR. Plaza de Comercio. Edificio Pérez.
EUROPA. Ramón y Cajal, 14.
O'TANAGRA. Angel, 4. Telf. 22 80 19.
EL CRUCE. La Grela, 18.
FINISTERRE. Orzán, 135.
PARIS. Avenida San Diego, 2.
EL PORTEÑO. Francisco Añón, 3. Telf. 25 10 53.
TRINCADO. Villa de Negreira, 8.
SUSO. Angel Rebollo, 50. Telf. 20 00 69.
SENRA. Orzán, 147.
CALVETE. Orzán, 149.
LA FLOR DE LA TORRE. Carretera Circunvalación. Edificio AA bajo.
ROMERO. Pastoriza, 12.
LA PIÑA. San Rosendo, 8.
CASTRO BLANCO. Prolongación San Vicente, 12.
CUARTA PATATA. Francisco Catoira, 22.
O PIOTE. Avenida de la Marina, 16 y 17. Telf. 22 17 82.
ROMAR. Avenida Hércules, 160.
CLAVELES DOS. San Luis, 52.
RUS. Orzán, 106.
CELVIC. Prolongación Avenida Chile, PP.
OCTAVA REGION. Avenida Chile, MPR.
DUBRA. San Juan, 27.
TABEAYO. Sol, 16.
ALFONSO MOLINA. Alfonso Molina, 2.
FRANKFURT. Orzán, 129.
BOQUETE. Orzán, 116.
CARBALLEIRA. Sol, 15.

RESTAURANTES ITINERARIO DEL NORTE

Perillo

3.ª categoría. 2 tenedores

DUNA. Carretera a Santa Cruz. Telf. 26 01 62, extensión 234.
AVENIDA. Telf. 26 01 62, extensión 229.
GALICIA. Telf. 26 01 62, extensión 59.
MIRADOR ORLINDA. Carretera Santa Cruz. Telf. 26 01 62, extensión 72.
EL CORTIJO. Carretera San Pedro. Telf. 26 01 62, extensión 66.
CASA BARRAL. Playa Santa Cristina. Telf. 26 01 62, extensión 213.
EL NIDO. Carretera Madrid. Telf. 26 01 62, extensión 34.
SANTA CRISTINA. Playa Santa Cristina. Telf. 26 01 62, extensión 272.
EL MADRILEÑO. Playa Santa Cristina. Telf. 26 01 62, extensión 78.
LA CABAÑA DEL CAZADOR-3. Playa Santa Cristina. Telf. 26 01 62, extensión 321.
A TIXOLA. Playa Santa Cristina.
CHANTAL. Villa Rosa.
NOMAR. Carretera Santa Cristina. Telf. 26 01 62, extensión 236.
BOLICHE CRIOLLO. Playa Santa Cristina. Telf. 26 01 62., extensión 522.
EZEQUIEL. Playa Santa Cristina.

4.ª categoría. 1 tenedor

EL ACUARIO.
EL PINAR.

Playa de Bastiagueiro

3.ª categoría. 2 tenedores

AS COBAS. Telf. 26 01 62, extensión 238.
BASTIAGUEIRO. Telf. 12 de Puerto de Santa Cruz.

Santa Cruz

3.ª categoría. 2 tenedores

MAXI. Playa de Santa Cruz. Telf. 36.
LA MARIÑA. Playa de Santa Cruz. Telf. 35.
ATALAYA. Playa de Santa Cruz.
O MESON DO LABRADOR. Carretera a Mera.
O POTE. Playa de Santa Cruz.

4.ª categoría. 1 tenedor

SARA PITA. Carretera a Mera. Telf. 29.
O BEN ESTAR. La Ferrala. Telf. 345.
CASA BARCIA. Telf. 224.
CASA ANTONIA. Telf. 330.
VIÑA.

Oleiros

3.ª categoría. 2 tenedores

EL REFUGIO. José Antonio, s/n. Telf. 27.

Mera

3.ª categoría. 2 tenedores

CASABLANCA.

4.ª categoría. 1 tenedor

LA PERLA.
CASA PARDO.
CAROLINA.

Lorbe

4.ª categoría. 1 tenedor

CATALUÑA.
LORBE.
CASA MENDEZ.
VALDEORRAS.

Sada

3.ª categoría. 2 tenedores

MIRAMAR. General Franco, 32. Telf. 62 00 41.
LA TERRAZA. Avenida Generalísimo, 15. Telf. 62 00 10.
MOLIÑO. Avenida de la Playa, 14. Telf. 62 02 81.
LICAR. Avenida del Puerto, 43. Telf. 62 03 22.
A VACA MARELA. Calle del Río, 13.

4.ª categoría. 1 tenedor

NUEVO CENTRO. Linares Rivas, 48.
BAHIA. República Argentina, 4.
NOVO. Linares Rivas, 13. Telf. 62 00 60.
JEMAR. Avenida de la Playa, 8.
A NOSA CASA. Linares Rivas, 7. Telf. 62 00 46.

Gandarío

3.ª categoría. 2 tenedores

MALLORCA. Playa de Gandarío.

4.ª categoría. 1 tenedor

O CARIBE. Playa de Gandarío.

Puente del Pedrido

3.ª categoría. 2 tenedores

LA CABAÑA.
EL PEDRIDO.

Carrio

3.ª categoría. 2 tenedores

CASA PANCHON. Telf. 4.

Betanzos

3.ª categoría. 2 tenedores

CASANOVA. Plaza García Hermanos, 15. Telf. 206.
MUIÑO ROXO. Avenida García Naveira.
MENDO. Castilla, s/n. Telf. 296.
LA MARAGATA. García Naveira, 15. Telf. 55.

4.ª categoría. 1 tenedor

LA CASILLA. Carretera Castilla.
LA CUEVA. Plaza García Hermanos. Telf. 136.
CASA EDREIRA. Linares Rivas, 2. Telf. 269.
SUCESOR DE BARBEITO. Valdoncel, 91.
LA MODERNA. Jesús García Naveira, 3.
CARLOS. Argentina, 15.
CASA ENRIQUE. Ana González, 39. Telf. 308.

Miño

3.ª categoría. 2 tenedores

LA RIVERA. José Antonio, s/n. Telf. 32.
CRISOL DE LAS RIAS. Carretera de la Playa, s/n. Telf. 231.
BAHIA. José Antonio, s/n.
EL CORTIJO. General Franco, s/n.

4.ª categoría. 1 tenedor

EL MIRADOR. General Franco, s/n. Telf. 221.
EL SUBMARINO. José Antonio, s/n. Telf. 227.
LA MAR. José Antonio, s/n. Telf. 88.
BELLAVISTA. General Franco, s/n. Telf. 212.
CHIRINGUITO. Playa de Miño.
PEPE. Playa Grande de Miño.

Ponte do Porco

4.ª categoría. 1 tenedor

ALAMEDA. Telf. 99.

Boebre

3.ª categoría. 2 tenedores

MAR MOLINO. Playa de Ber. Telf. 43 07 07.

4.ª categoría. 1 tenedor

ANDURIÑA.

Puentedeume

3.ª categoría. 2 tenedores

ALLEGUE. San Agustín, 25. Telf. 43 00 35.
BRASIL. Avenida de La Coruña, 2. Telf. 43 00 60.

4. categoría. 1 tenedor

CASA BARON. San Agustín, 2.
CASA MARTIÑO. Herreros, 9. Telf. 43 04 10.
CASA MANOLO. Campolongo.
COMPOSTELA. Real, 25.
YOLI. José Antonio, 6.
O CRUCEIRO. Campolongo.
O PIÑEIRO. Pita da Veiga, 8.

Cabañas

3.ª categoría. 2 tenedores

LOS CASTAÑOS. Playa de la Magdalena.

4.ª categoría. 1 tenedor

MESON DE CABAÑAS. Playa de la Magdalena. Telf. 43 10 87.
LA MAGDALENA. Playa de la Magdalena.
ARDA. Playa de la Magdalena.
EL PINAR. Playa de la Magdalena. Telf. 43 10 10.
CHIRINGUITO. Playa de la Magdalena. Telf. 43 08 35.

Ares

4.ª categoría. 1 tenedor

CAMPING SESELLE. Seselle. Telf. 46 81 73.
CASA SARDIÑA. Almirante Moreno, s/n. Telf. 46 80 10.

Mugardos

3.ª categoría. 2 tenedores

LA ABUNDANCIA. Comandante Lobo, 60 y 62. Telf. 47 07 45.

4.ª categoría. 1 tenedor

TIRABEQUE. Comandante Lobo, 41. Telf. 47 00 86.

Perlio (Fene)

3.ª categoría. 2 tenedores

PERLA. Marqués de Figueroa. Telf. 34 00 26.
TORTONI. Vista Alegre.
LAS PIAS. Avenida de las Pías. Telf. 34 00 46.
MUNDIAL. Avenida de las Pías.

4.ª categoría. 1 tenedor

CASA CARDON. Marqués de Figueroa. Telf. 34 00 16.
CASA ROMERO. Perlío. Telf. 34 00 28.
CANTABRICO. Las Pías, s/n. Telf. 34 10 17.
CAINZOS. Perlío. Telf. 34 10 04.
O PASO. Las Chancas. Telf. 34 10 01.
CARACAS. Chancas. Barallobre. Telf. 34 00 00.

Jubia (Neda)

2.ª categoría. 3 tenedores.

CASA TOMAS. Carretera General, s/n. Telf. 31 21 00, extensión 48.

3.ª categoría. 2 tenedores

PACO. Carretera General, s/n. Telf. 31 21 00, extensión 39.

4.ª categoría. 1 tenedor.

AMADOR. General Mola, s/n. Telf. 31 21 00, extensión 239.
CASA FALCON. La Mourela.

El Ferrol del Caudillo

3.ª categoría. 2 tenedores

ALOYA. Pardo Bajo, 7. Telf. 35 12 31.
IDEAL R. General Aranda, 103. Telf. 35 12 97.
VENANCIO. Calvo Sotelo, 38. Telf. 35 12 05.
PATAQUIÑA. Fernando Villaamil, 35. Telf. 35 23 11.
CASA MONCHO. Fernando Villaamil, 44. Telf. 35 51 53.
CASA DEL GALLO. Balón - Doniños.
LAS COLUMNAS. General Aranda, 60. Telf. 35 70 47.
O PARRULO. Catabois. Telf. 35 51 11.
O XANTAR. General Franco, 182. Telf. 35 51 18.
DAMASCUS. Avenida Vigo, esquina a Caranza. Telf. 35 51 14.
GAVIA. Frutos Saavedra, 6 y 8. Telf. 35 84 45.

4. categoría. 1 tenedor

RIBADAVIA. Fernando Villaamil, 22. Telf. 35 46 14.
SEVILLA. Galiano, 29. Telf. 35 12 70.
MADRID. Galiano, 18. Telf. 35 12 00.
CASA RIVERA. Galiano, 57. Telf. 35 12 53.
BODEGAS FAJARDO. Avenida Generalísimo, 172.
LEPANTO. Pardo Bajo, 15. Telf. 35 12 86.
LA SORPRESA. General Aranda, 84. Telf. 35 29 09.
SOMOZAS. Pardo Bajo, 9. Telf. 35 51 40.
CASA CASTRO. Frutos Saavedra, 90. Telf. 35 39 52.
CASA VILABOA. Frutos Saavedra, 99. Telf. 35 16 62.
EL TIO PEPE. Pardo Bajo, 3. Telf. 35 70 20.
LA SIRENA. General Mola, 14.
LA PARRA. Pardo Bajo, 21. Telf. 35 51 38.
EL CASERIO VASCO. Pardo Bajo, 11.
ANTIGUA COBA. Lugo, 38. Telf. 35 12 78.
A GAVEIRA. Balón. Doniños. Telf. 35 12 92.
CLAUDINA. San Jorge de la Mariña.
BELLO. Socorro, 6.
COSTA VERDE. San Jorge de la Mariña.
ABUNDANCIA. Socorro, 13.
BELANDO. Manuel Belando, 20.
GAZTE-LEKU. Rastro, 1. Telf. 35 12 22.
PLAYA. Vilar-Cobas.
EL VILAR. Cobas.
LA RIA DE AROSA. Honorio Cornejo, 6. Telf. 35 70 93.
EL ENCANTO. Frutos Saavedra, 100.
CASA CAMILO. Serantes, 136.
EL NUEVO DIQUE. General Mola, 2. Telf. 35 51 24.
CASA BREIJO. Carlos III, 74.
LEONDORO. Taxonera, 1.
ORDENES. Almirante Vierna, 16.

Valdoviño

3.ª categoría. 2 tenedores

ANDY. Camping Valdoviño. Telf. 48 70 12.
EL GITANO. Playa.

4.ª categoría. 1 tenedor

LA CABAÑA DEL TIO TOM. Playa Frouxeira.
COSTA DEL MARISCO. Meirás.
PALMAR. Frouxeira.
O RIVEIRO. Villarrube.
A'SAIÑA. Playa Pequeña.
PLAYA. Playa.
LA RUEDA. Meirás.
GUTIERREZ. Carretera Jubia-Carreira.
ZAPATEIRO. Carretera Jubia-Carreira. Telf. 48 70 04.

Cedeira

3.ª categoría. 2 tenedores

BRISA. Almirante Moreno, 8. Telf. 85.
O MARISCO. Avenida Suevos, s/n. Telf. 205.
PARIS-St. TROPEZ. Primo de Rivera, 39. Telf. 411.

4.ª categoría. 1 tenedor

RANCHO CHICO. Primo de Rivera, 34. Telf. 54.

Cariño

3.ª categoría. 2 tenedores

GALICA. Carretera Puerto. Telf. 79.

4.ª categoría. 1 tenedor

CASA CHENTE. La Piedra. Telf. 101.

Santa Marta de Ortigueira

3.ª categoría. 2 tenedores

CASA MARIO. Alameda. Telf. 102.
MESON SOILAN. General Franco, 115. Telf. 484.

PONFERRADA. Penela, 22. Telf. 413.
CHUBUT. Magdalena, 5.
AVENIDA. General Franco, 55. Telf. 132.
SANTA MARTA. Lagarea, s/n. Telf. 176.

4.ª categoría. 1 tenedor

A CHARCA. General Franco, s/n. Telf. 55.
LA ESTACION. Carretera. Telf. 110.

Espasante

4.ª categoría. 1 tenedor

SANCHO. Plaza Pedregal, s/n. Telf. 10.

El Barquero

4.ª categoría. 1 tenedor

BEAZ. Carretera de Bares. Telf. 4.
CASA CAMPELA.
CENTRO SOCIAL. Bares. Telf. 23.

RESTAURANTES ITINERARIO DEL OESTE

Arteijo

3.ª categoría. 2 tenedores

GALLO DE ORO. Carretera Coruña-Carballo. Telf. 60 04 92.

4.ª categoría. 1 tenedor

CASA ROZAS. Groufa, 70. Telf. 60 01 10.
PARAISO. La Groufa. Telf. 60 00 86.
BAR ESPANA. Carretera General. Telf. 60 05 39.

Playa de Barrañán

3.ª categoría. 2 tenedores

LA PLAYA.
MAR Y SOL.

4.ª categoría. 1 tenedor

MAR Y SOL.

CASA VIEJA.

Cayón

3.ª categoría. 2 tenedores

ROMPEOLAS. La Cabana. Telf. 8.

4.ª categoría. 1 tenedor

FINISTERRE. Eduardo Vila Fano.
MIRAMAR. Insúa.
PLAZA. Plaza E. Vila, s/n. Telf. 12.

Carballo

3.ª categoría. 2 tenedores

GINES. Coruña, s/n. Telf. 71.
LIS. Vázquez de Parga, 32. Telf. 211.
BERGANTIÑOS. Camino Nuevo, 4. Telf. 343.
PARRILLADA CRIOLLA. Camino Nuevo, 2. Telf. 128.
O XABARIN. Vázquez de Parga, 20. Telf. 357.

4.ª categoría. 1 tenedor

CASA CHELO. Colón, 9.
CASA REY. Colón, 12.
CASA JUSTO. Salud, 19. Telf. 118.
EL PESCADOR. Gran Vía, 46. Telf. 499.
LAMAS. Gran Vía, 26. Telf. 620.
LOYOLA. Calvo Sotelo, s/n. Telf. 487.
LISTA. Fomento, 2. Telf. 75.
AVENIDA. José Antonio, 28.
BODEGAS CARBALLO. Vázquez de Parga, 68. Telf. 209.
CIENFUEGOS. Puente, 8. Telf. 763.
CASA COLLAZO. Compostela, 8. Telf. 590.
CASA BASTIAN. Compostela, 3. Telf. 550.
RINCON. Victoria, 6. Telf. 603.
POLAINAS. San José, 7. Telf. 755.
CASA CONCHA. Vázquez de Parga, 18. Telf. 169.
GUITOY. Avenida la Milagrosa, 26.
EL EMIGRANTE. San Juan Bautista, 9 Telf. 769.
A RIXONADA. Avenida Finisterre, 131. Telf 515.

Malpica

3.ª categoría. 2 tenedores

MIRAMAR. Ventorrillo, 12. Telf. 34.

4.ª categoría. 1 tenedor

PACO. Eduardo Vila Fano. Telf. 32.
LA PLAYA. Paseo de la Playa. Telf. 212.
O BURATO. Villar Amigo, 7. Telf. 57.
CASA CADEIRO. Calvo Sotelo, 2.

Corme

4.ª categoría. 1 tenedor

CASA ISABEL. Real, s/n.
COSTERO. Arnela, s/n.

Lage

3.ª categoría. 2 tenedores

O TRAS-PASO. Del Río, 17. Telf. 5.
O RIZON.

Bayo

3.ª categoría. 2 tenedores

CASA OVIDIO. Telf. 6.
O MUIÑO. Carretera, s/n. Telf. 16.
CASA COSTA. Obispo Romero Lema, s/n. Telf. 25.

4.ª categoría. 1 tenedor

CASA CRUZ. Carretera, s/n. Telf. 12.

Vimianzo

4.ª categoría. 1 tenedor

GARCIA. Carretera Camariñas. Telf. 28.
RIO GRANDE. Blanco Rajoy, s/n. Telf. 72.

Mugía

4.ª categoría. 1 tenedor

O DELFIN. Malecón, s/n. Telf. 66.
EL PARAISO. Lago.

Corcubión

3.ª categoría. 2 tenedores

CASA PACHIN. Marina, 4. Telf. 27.
LAS HORTENSIAS. Playa de Quenje. Telf. 259.

4.ª categoría. 1 tenedor

A'LOBEIRA. Playa de Quenje.

Cee

3.ª categoría. 2 tenedores

MOBY DICK. Avenida Fernando Blanco. Telf. 6.

4.ª categoría. 1 tenedor

NERIO. La Calzada, 3.
LA MARINA. Avenida Fernando Blanco. Telf. 263.
ASTUGALI. Primo de Rivera, 19. Telf. 310.

Finisterre

3.ª categoría 2 tenedores

PATRONATO. Lago Pais. A. Saralegui. Telf. 247.
CASA GALLEGA. La Plaza, s/n. Telf. 296.
RIVAS. Carretera Nueva, s/n.

4.ª categoría. 1 tenedor.

CASA LESTON. Sardiñeiro.

El Pindo

4.ª categoría

Pindo Norte, s/n. Telf. 8.

Muros

3.ª categoría. 2 tenedores

CAMPOS. Acea. Serres. Telf. 418.
MARBELLA. Buena Vista. Telf. 233.
LUGON. Avenida de la Marina.

4.ª categoría. 1 tenedor

NUEVA ESCOCIA. Prim, 10. Telf. 65.
EL MUELLE. General Mola, s/n.
RODRIGUEZ. Avenida Calvo Sotelo, 64. Telf. 41.

Noya

3.ª categoría. 2 tenedores

CEBOLEIRO. General Franco, 15. Telf. 82 05 31.
RIBADAVIA. Rodríguez Cadarso, s/n. Telf. 82 01 05.
FERRADOR. General Franco, 9. Telf. 82 00 80.

4.ª categoría. 1 tenedor

CASA MARICO. General Franco, s/n. Telf. 82 01 42.
SANTIAGO. Ferreiro, 7. Telf. 82 01 29.
2-X-1. General Franco, 11. Telf. 82 04 14.
DAKAR. Travesía Calvario.
SUBMARINO. Oviedo Arce, s/n. Telf. 82 03 49.
LA RIA. Malecón de Cadarso.
CASTOR. Ferreiro, 30. Telf. 82 01 84.
CALVARIO. Calvario s/n. Telf. 82 02 78.
DERBY. Avenida General Franco.

ESPECIALIDADES GASTRONOMICAS

La gastronomía gallega se muestra en la gran vía gastronómica que comienza en la calle Troncoso y termina en la Plaza de Santa Catalina. La abundancia de exquisitos mariscos es nota culminante de los manjares coruñeses, sin olvidar la excelente carne y las aves. Entre los platos regionales más destacados, figuran los siguientes:
Caldo gallego.
Lacón con grelos.
Lomo de cerdo asado.
Empanadas de lomo, de sardinas, etc.
Sopa de mariscos.
Salpicón de marisco.
Tortilla de marisco.
Caldeirada de merluza.
Sardinas con cachelos.
Lamprea guisada.
Filete de rodaballo.
Reos del Mandeo, etc.
Pulpo estilo feria.
Centollas, nécoras, lubrigantes, almejas, ostras, percebes, mejillones, langostas, langostinos, camarones, vieiras, zamburiñas, etcétera.
Quesos del país, muy mantecosos. Son famosos los de Teijeiro y Oza.
Melindres de Puentedeume.
Filloas de Carnaval.
Tarta de almendra.
Son de destacar los vinos procedentes de las riberas de Ulla, tinto y chispeante, de buen sabor. En la comarca de Betanzos se da el famoso vino tinto, conocido por «viño de terra», de buen paladar y poca graduación. Lugar importante en la gastronomía regional ocupan los vinos de Ribeiro, blanco o tinto, de grata y fresca aspereza, el alvariño de Fefiñanes y los vinos de El Rosal. Como licores destaca el aguardiente, con el que se prepara la deliciosa «Queimada».

CAFETERIAS Y BARES

1.ª categoría. 2 tazas

SALOON. Avenida la Marina, 5. Telf. 22 10 73.

2.ª categoría. 1 taza

TALA. Galera, 29. Tefl. 22 10 20.
PAZO. Olmos, 24. Telf. 22 10 41.
RIAZOR. Avenida Pedro Barrié de la Maza. Hotel Riazor. Telf. 25 34 00.
LINAR. General Mola, 7. Telf. 22 78 37.
LUMAR. Avenida la Marina, 15. Telf. 22 70 47.
KRISTAL. Plazuela Cine Coruña. Telf. 22 10 10.
LA MEZQUITA. Rúa Nueva, 7. Telf. 22 10 24.
VICTORIA. Olmos, 23. Telf. 22 10 11.
MARTE. Menéndez Pelayo, 11. Telf. 22 47 58.
CAPRI. Avenida la Marina, 10. Telf. 22 10 27.
LA CABAÑA. María Pita, 10. Telf. 20 50 12.
RIO TINTO. Plaza María Pita, 8. Telf. 20 50 33.
MARA. Galera, 49. Telf. 22 80 89.
LOS PORCHES. Avenida la Marina, 6, 7 y 8. Telf. 22 70 77.
TORRE ESMERALDA. Cuesta Palloza. Telf. 23 01 32.
MANHATTAN CLUB. Avenida Rubine, 17 y 19. Telf. 25 10 44.
ESPAÑA. Juana de Vega, 7. Hotel España. Telf. 22 45 06.
DEL PUERTO. Muelle Palloza. Telf. 23 90 19
PLAYA CLUB. Andenes Playa de Riazor. Telf. 25 00 63.
KIRS. Avenida la Marina, 32. Telf. 22 10 23.
AGARIMO. Federico Tapia, 21. Telf. 22 90 09.
NAPOLI. Rubine, 8. Telf. 22 00 47.
MARIA PITA. Plaza María Pita, 3. Telf. 20 50 74.
PUNTA DEL ESTE. Médico Durán, 15. Telf. 23 90 53.
CONDE DUQUE. Francisco Catoira, 29. Telf. 23 70 66.
TIFFANY. Avenida Rubine, 29. Telf. 25 00 33.
HILTON. Fernando Macías, 1. Telf. 25 10 09.
O MIÑO. Durán Loriga, 8. Telf. 22 80 20.
ORSAY. Concepción Arenal, 8. Telf. 23 70 19.
MARABU. Pardo Bazán, 14. Telf. 22 70 53.
BONN. Pardo Bazán, 1. Telf. 22 90 47.
JOTA-EME. Las Jubias. Tef. 28 04 63.
RYZ. Sánchez Bregua, 2. Telf. 22 80 97.
LINARES RIVAS. Linares Rivas, 27. Telf. 22 90 59.
MANHATTAN PLAZA. Plaza de Pontevedra. Telf. 22 90 71.
OXFORD. Avenida la Marina, 42. Telf. 22 90 96.
ALMIRANTE. Paseo Ronda. Hostal Almirante. Telf. 25 96 00, extensión 121.
VENUS. Plaza Vigo, 3. Telf. 22 90 20.
MARINEDA. Rosalía de Castro, 13. Hotel Marineda. Telf. 22 90 06.
MESON O XESTAL. Torreiro, 11. Telf. 22 10 05.
RIVAS. Fernández Latorre, 45. Hotel Rivas. Telf. 23 95 46.
YESSI. Avenida de Rubine, 28. Telf. 25 00 43.
S-11. Fama, 1. Telf. 22 90 85.
CORUÑAMAR. Paseo de Ronda. Hostal Coruñamar. Telf. 26 13 28.
MAYCAR. San Andrés, 175. Hostal Maycar. Telf. 22 90 83.
DARO. Cordelería, 46. Telf. 22 47 17.
LA VACA SAGRADA. Arévalo, 2.

LIBRERIAS

Librería AGORA. Riego de Agua, 38. Telf. 23 73 05.
Librería ALVAREZ. Fuente Alamo, 19. Telf. 26 05 99.
Librería AMERICA. Pardo Bazán, 16. Telf. 22 63 56.

Librería ANAYA. Calvo Sotelo, 11. Telf. 25 62 37.
Librería ANRO. Barrio de las Flores, 6. Telf. 28 72 58.
Librería ARENAL. Arenal, 30. Telf. 20 31 11.
Librería ARENAS. Cantón Grande, 21. Telf. 22 24 42.
Librería AURORITA. Vizcaya, 20. Telf. 22 32 38.
Librería AVIR. Juan Flórez, 36. Telf. 25 42 12.
Librería BARRASA. Asturias, 28. Telf. 23 85 10.
Librería CARMEN. Travesía Mariana Pineda, 11. Telf. 23 52 51.
Librería CARTAMAR. Paseo de Ronda, 50. Telf. 25 52 28.
Librería CERVANTES. Plaza María Pita, 20. Telf. 20 71 23.
Librería COLON. Real, 24. Telf. 22 22 06.
Librería COUCEIRO. Ronda Outeiro, AB. Telf. 23 60 71.
Librería DANS. Compostela, 3. Telf. 22 44 41.
Librería FINA. Real, 68. Telf. 22 46 82.
Librería GEMA. Travesía Primavera, 13. Telf. 23 80 63.
Librería GOYA. Marqués de Figueroa, 32. Telf. 23 46 70.
Librería HERCE. Oidor Gregorio Tovar, 15. Telf. 23 12 63.
Librería HERCULES. Plaza San Roque, 7. Telf. 20 48 56.
Librería LA POESIA. San Andrés, 7. Telf. 22 23 10.
Librería LA TORRE. Avenida Conchiñas, CC. Telf. 26 05 81.
Librería LA TORRE. Torre, 5. Telf. 20 36 49.
Librería LALUCA. Santa Lucía, 35. Telf. 23 05 58.
Librería MAGIN. Oidor Gregorio Tovar, 34. Telf. 23 43 97.
Librería MARIA DOLORES. Avenida los Mallos, 52. Telf. 23 89 60.
Librería MARIA RAMOS. Puente, 10. Telf. 28 48 65.
Librería MARTE. San Luis, 17. Telf. 23 11 50.
Librería MARY-CARMEN. Travesía Juan Castro Mosquera, 11. Telf. 23 21 49.
Librera MAYOBRE. San Sebastián, 12. Telf. 25 04 98.
Librería MOLIST. Juana de Vega, 17. Telf. 22 39 44.
Librería MONFORTE. Argentina, 29. Telf. 25 93 89.
Librería MAR. Avenida General Sanjurjo, 32. Telf. 28 26 62.
Librería PORTO. San Andrés, 171. Telf. 22 52 82.
Librería RAMOS. Andrés Gaos, 19. Telf. 25 01 83.
Librería REY. Concepción Arenal, 19. Telf. 23 95 75.
Librería SANTA LUCIA. Plaza de Lugo, 3. Telf. 25 79 95.
Librería MUÑOZ. Galera, 10. Telf. 22 41 96.
Librería ARAUJO. Riego de Agua, 44.
Librería VILLARDEFRANCOS. Estrella, 31.
Librería HERNANDEZ. Galera, 41.
Librería MARINEDA. Franja, 61.

CORREOS, TELEFONOS Y TELEGRAFOS

CORREOS. Avenida la Marina, s/n. Telf. 22 19 56.
TELEFONOS. San Andrés, 101. Telf. de información 003.
TELEGRAFOS. Avenida la Marina, s/n. Telf. 22 18 08
Telegramas por teléfono, 22 20 00.

CENTROS OFICIALES

AYUNTAMIENTO. Plaza María Pita. Telfs. 22 79 00 y 22 14 06.
GOBIERNO CIVIL. Avenida la Marina, 30. Telf. 22 88 88.
DIPUTACION PROVINCIAL. Riego de Agua, 37. Telf. 22 64 00.
AUDIENCIA TERRITORIAL. Plaza Galicia. Telfs.: Fiscalía, 22 58 47; Presidencia, 22 16 45; Portería, 22 17 78; Secretaría del Gobierno, 22 43 26; Secretaría de lo Civil, 22 89 95, Secretaría de lo Criminal, 22 53 01.
CAPITANIA GENERAL. Plaza General Franco. Telfs. 20 52 00, 20 52 04 y 20 52 08.
JEFATURA PROVINCIAL DE TRAFICO. Pérez Cepeda, 8-1.º Telf. 25 38 00.
GOBIERNO MILITAR. Veeduría, 2. Telfs. 20 67 00 y 20 59 50.
JUZGADO DE INSTRUCCION NUMERO 1. Plaza Galicia. Telf. 22 12 80.
JUZGADO DE INSTRUCCION NUMERO 2. Plaza Galicia. Telf. 22 13 80.
JUZGADO DE INSTRUCCION NUMERO 3. Plaza Galicia. Telf. 22 69 91.
ADUANA, ADMINISTRACION. Avenida Alférez Provisional, s/n. Telf. 22 13 12.
ADUANA, DESPACHO VIAJEROS. Muelle Méndez Núñez. Telf. 22 23 41.
JEFATURA SUPERIOR DE POLICIA. Avenida Alférez Provisional, s/n. Telf. 22 61 00.
CASA DE SOCORRO. Cuesta de la Palloza. Telf. 23 02 19.
DELEGACION PROVINCIAL DE INFORMACION Y TURISMO. Durán Lóriga. Telf. 22 13 36.
OFICINA DE INFORMACION. Dársena. Telf. 22 18 22.
CAMARA OFICIAL DE COMERCIO, INDUSTRIA Y NAVEGACION. Alameda, 38. Telf. 22 21 33 y 22 45 09.
COMANDANCIA DE MARINA. Avenida Alférez Provisional, s/n. Telf. 22 60 01.
COLEGIO OFICIAL DE MEDICOS. Riego de Agua, 29. Telf. 22 20 15.
DELEGACION PROVINCIAL DE OBRAS PUBLICAS. Plaza Orense, s/n. Telf. 22 44 73.

JEFATURA PROVINCIAL DE CARRETERAS. Plaza Orense, s/n. Telf. 22 39 07.
OFICINA MUNICIPAL DE TURISMO. Jardines Méndez Núñez. Edificio Kiosko Alfonso. Telf. 22 20 31.
SOCIEDAD PROTECTORA DE ANIMALES Y PLANTAS. Real, 29-5.º. Telf. 22 53 48.
SERVICIO DE BUSQUEDA Y SALVAMENTO AEREO. Aeropuerto de Alvedro. Telf. 23 25 89.
GUARDIA CIVIL. San Cristóbal. Telf. 23 05 40.
DELEGACION PROVINCIAL DE EDUCACION FISICA Y DEPORTES. Riego de Agua, 9. Telf. 22 74 06.
DELEGACION PROVINCIAL DE ESTADISTICA. Francisco Mariño, 5. Telf. 22 32 24.
DELEGACION PROVINCIAL DE LA JUVENTUD. Paseo Méndez Núñez. Telf. 22 11 74.
DELEGACION PROVINCIAL DE AGRICULTURA. Avenida Buenos Aires, 53. Telf. 25 71 62.
DELEGACION PROVINCIAL DE LA VIVIENDA. Concepción Arenal, 1. Telf. 23 59 45.
DELEGACION PROVINCIAL DE EDUCACION Y CIENCIA. Avenida Alfonso Molina, 1. Telfs. 23 60 40 y 23 14 67.
DELEGACION PROVINCIAL DE SINDICATOS. Emilia Pardo Bazán, 27. Telf. 23 11 40.
DELEGACION PROVINCIAL DE TRABAJO. Federico Tapia, 20. Telf. 23 79 43.

AGENCIAS DE VIAJES

Viajes AZOR. Rosalía de Castro, 12. Telf. 22 91 58.
Viajes AMADO. Compostela 1. Telf. 22 77 84.
Viajes BREOGAN. Federico Tapia, 9. Telf. 22 97 32.
Viajes CANTABRIA. Olmos, 28. Telf. 22 78 81.
Viajes CONDE. Compostela, 8. Telf. 22 28 35.
Viajes EL CORTE INGLES. Picavia, 10. Telf. 22 13 37.
Viajes FARIÑA. Compostela, 10. Telf. 22 46 52.
Viajes CRISTAL. Real, 81. Telf. 22 72 51.
Viajes RIAZOR. Plaza Vigo, 8. Telf. 22 86 16.
Viajes MELIA. Cantón Grande, 2. Telf. 22 44 32.
Viajes MELIA. Juan Flórez, 72. Telf. 26 13 00.
Viajes NORTE. Juana de Vega, 38. Telf. 22 42 98.
Viajes TRAVIDI. Juan Flórez, 40. Telf. 25 58 29.
Viajes WAGONS LITS/COOK. Avenida de la Marina, 43. Telf. 22 84 97.

COMUNICACIONES

Ferrocarril

RENFE, Oficina de Viajes. Venta anticipada de billetes. Fontan, 3. Telf. 22 19 48. Horario: de 9,00 a 13,00 y de 16,00 a 18,00 horas. Domingos y festivos: de 9,00 a 11,30 horas.
ESTACION DE SAN CRISTOBAL. Información: Telf. 23 03 09, de 7,00 a 23,00 horas.
AUTO-EXPRESO. Estación de San Cristóbal. Telf. 23 82 76. De 9,00 a 12,30 y de 17,00 a 20,30 horas.
SERVICIOS REGULARES CON: Betanzos, El Ferrol del Caudillo, Santiago de Compostela, Pontevedra, Vigo, Lugo, Monforte de Lemos, Orense, León, Avila, Zamora, Palencia, Valladolid, Burgos, Vitoria, Bilbao, San Sebastián, Zaragoza, Madrid, Lérida, Barcelona, Irún y Hendaya.

Marítimas

AZNAR. Compostela, 8. Telf. 22 38 47. A Inglaterra y Canarias.
COLONIAL DE NAVEGACAO. Feijóo, 2. Telf. 22 27 34.
ITALIANA DE NAVEGACION. Arzobispo Lago, 2. Telf. 22 19 49.
MALA REAL INGLESA. Avenida la Marina, 44. Telf. 22 24 35.
PACIFICO. Juana de Vega, 56. Telf. 22 33 15.
PONTE NAYA. Linares Rivas, 30-2.º. Telfs. 22 35 02 y 22 82 04.
TRANSATLANTICA ESPAÑOLA. Avenida la Marina, 1. Telf. 22 26 02.
TRANSMEDITERRANEA. Plaza Galicia. Telf. 22 52 55.
A Gijón, Santander, Bilbao, Pasajes y Canarias.
IBARRA. Compostela, 8. Telf. 22 46 52.
PINILLOS. Linares Rivas, 30. Telf. 22 54 06 y 22 58 03.

Líneas aéreas

AEROPUERTO DE ALVEDRO (9 km) Telf. 23 22 40.
AVIACO. Reserva y venta de billetes. Jardines Méndez Núñez. Edificio Kiosko Alfonso. Telf. 22 53 69 y 22 94 20. Servicios regulares con Madrid.
Oficina Aeropuerto Alvedro. Telf. 23 35 84.
IBERIA. Reserva y venta de billetes. Cantón Pequeño, 15-3.º Telf. 22 87 30.

Línea de trolebuses y autobuses

COMPAÑIA DE TRANVIAS DE LA CORUÑA, S. A. Labañou, s/n. Telfs. 25 01 04. y 25 01 08.

Número 1. PUERTA REAL, Avenida de la Marina, Cantón Pequeño, Linares Rivas, Primo de Rivera, Cuatro Caminos, Estación de Autobuses, Monelos, BARRIO DE LAS FLORES.

Número 1A. PUERTA REAL, Avenida de la Marina, Cantón Pequeño, Linares Rivas, Primo de Rivera, CASA DEL MAR, Monelos, Polígono de Elviña, Casanova de Eirís, Abegondo, CASTRILLON

Número 2. PUERTA REAL, Avenida de la Marina, Cantón Pequeño, Primo de Rivera, Cuatro Caminos, Ramón y Cajal, La Gaiteira, General Sanjurjo, LOS CASTROS.

Número 3. PUERTA REAL, Avenida de la Marina, Cantón Pequeño, Juana de Vega, Plaza de Pontevedra, Alfredo Vicenti, Calvo Sotelo, Avenida de La Habana, Paseo de Ronda, Avenida de Gran Canaria (CIUDAD ESCOLAR).

Número 4. SAN AMARO, La Torre, Plaza de España, Panaderas, San Andrés, Santa Catalina, Plaza de Pontevedra, Juan Flórez, Nicaragua, San Pedro Mezonzo, Monforte, Estación de Autobuses, Monelos, BARRIO DE LAS FLORES.

Número 5. AVENIDA DE HERCULES, Travesía Forcarey, Ramón del Cueto, La Torre, Plaza de España, Panaderas, San Andrés, Santa Catalina, Plaza de Pontevedra, Juan Flórez, Nicaragua, San Pedro Mezonzo, Monforte, ESTACION FERROCARRIL SAN CRISTOBAL, Avenida del Marqués de Figueroa.

Número 6. SAN AMARO, La Torre, Plaza de España, Panaderas, San Andrés, Santa Catalina, Plaza de Pontevedra, Avenida de Finisterre, Rey Abdullah, Parque de Santa Margarita, San Leopoldo, Ventorrillo, La Silva, Fontenova, La Moura, SAN JOSE (Zona industrial).

Número 7. (CIUDAD ESCOLAR) Avenida de Gran Canaria, Paseo de Ronda, Avenida de La Habana, Avenida de Rubine, Plaza de Pontevedra, Juan Flórez, Nicaragua, San Pedro Mezonzo, Estación de Autobuses, Monelos, BARRIO DE LAS FLORES.

Número 8. PUERTA REAL, Avenida de la Marina, Cantón Pequeño, Juana de Vega, Plaza de Pontevedra, Avenida de Finisterre, Rey Abdullah, Parque de Santa Margarita, San Leopoldo, Ventorrillo, La Silva, Fontenova, La Moura, SAN JOSE (zona industrial).

Número 9. (CIUDAD ESCOLAR) Avenida de Gran Canaria, Paseo de Ronda, Avenida de La Habana, Avenida de Rubine, Plaza de Pontevedra, Santa Catalina, San Andrés, Panaderas, Plaza de España, La Torre, SAN AMARO.

Número 10. PUERTA REAL, Avenida de la Marina, Cantón Pequeño, Plaza de Lugo, Juan Flórez, Nicaragua, Gómez Zamalloa, Plá y Cancela, Vizcaya, Ramón Cabanillas, Ronda de Outeiro, AVENIDA DE LOS MALLOS.

Número 11. AVENIDA DE HERCULES, Travesía Forcarey, Ramón del Cueto, La Torre, Plaza de España, Panaderas, San Andrés, Santa Catalina, Plaza de Pontevedra, Juan Flórez, Nicaragua, Gómez Zamalloa, Plá y Cancela, Vizcaya, Ramón Cabanillas, Ronda de Outeiro, AVENIDA DE LOS MALLOS.

Número 12. (CIUDAD ESCOLAR) Avenida de Gran Canaria, Paseo de Ronda, Avenida de La Habana, Avenida de Rubine, Plaza de Pontevedra, Juana de Vega, Linares Rivas, Primo de Rivera, Cuatro Caminos, Ramón y Cajal, La Gaiteira, General Sanjurjo, LOS CASTROS.

Número 12A. VIVIENDAS DE FRANCO (Ronda de Outeiro), Grupo de Pescadores, Avenida de Peruleiro, Avenida de La Habana, Avenida de Rubine, Plaza de Pontevedra, Juana de Vega, Linares Rivas, Primo de Rivera, Cuatro Caminos, Ramón y Cajal, La Gaiteira, General Sanjurjo, LOS CASTROS.

Número 13. (CIUDAD ESCOLAR) Avenida de Gran Canaria, Paseo de Ronda, Avenida de La Habana, Avenida de Rubine, Plaza de Pontevedra, Santa Catalina, San Andrés, Panaderas, Plaza de España, La Torre, Ramón del Cueto, Travesía Forcarey, AVENIDA DE HERCULES.

Número 13A. VIVIENDAS DE FRANCO, Ronda de Outeiro, Avenida de Peruleiro, Avenida de La Habana, Avenida de Rubine, Plaza de Pontevedra, Santa Catalina, San Andrés, Panaderas, Plaza de España, La Torre, Ramón del Cueto, Travesía de Forcarey, AVENIDA DE HERCULES.

Número 14. PUERTA REAL, Avenida de la Marina, Cantón Pequeño, Juana de Vega, Plaza de Pontevedra, AVENIDA DE FINISTERRE, Rey Abdullah, Parque de Santa Margarita, Ronda de Outeiro.

Número 15. (CIUDAD ESCOLAR) Avenida de Gran Canaria, Paseo de Ronda, Avenida de La Habana, Avenida de Rubine, Plaza de Pontevedra, Juan Flórez, Nicaragua, San Pedro de Mezonzo, Monforte, ESTACION DE FERROCARRIL SAN CRISTOBAL, Avenida del Marqués de Figueroa.

Número 16. (CIUDAD ESCOLAR) Avenida de Gran Canaria, Paseo de Ronda, Avenida de La Habana, Avenida de Rubine, Plaza de Pontevedra, Juan Flórez, Nicaragua, Gómez Zamalloa, Plá y Cancela, Vizcaya, Ramón Cabanillas, Ronda de Outeiro, AVENIDA DE LOS MALLOS.

Número 17. SAN AMARO, La Torre, Plaza de España, Panaderas, San Andrés, Santa Catalina, Plaza de Pontevedra, Juana de Vega, Linares Rivas, Primo de Rivera, Cuatro Caminos, Ramón y Cajal, La Gaiteira, General Sanjurjo, LOS CASTROS.

Número 18. PUERTA REAL, Avenida de la Marina, Cantón Pequeño, Linares Rivas, Primo de Rivera, Cuatro Caminos, Cronista

Pacheco, Oidor Gregorio Tovar, San Luis, SAN VICENTE (AVENIDA DE LOS MALLOS), Asturias, Cronista Pacheco.
Número 20. PLAZA DE PONTEVEDRA, Juana de Vega, Linares Rivas, Primo de Rivera, CASA DEL MAR, Monelos, Polígono de Elviña, Casanova de Eirís, Abegondo, CASTRILLON.
Número 44. PUERTA REAL, Avenida de la Marina, Cantón Pequeño, Juana de Vega, Plaza de Pontevedra, Alfredo Vicenti, Calvo Sotelo, Avenida de La Habana, Paseo de Ronda, Avenida de Peruleiro, Grupo de Pescadores, Ronda de Outeiro, Monasterio de Bergondo (VIVIENDAS DE FRANCO).
Sin número. Avenida Alférez Provisional (CORREOS), Plaza de Orense, ESTACION DE AUTOBUSES.

Autobuses de extrarradio

Número 21. PLAZA DE PONTEVEDRA a PUENTE DEL PASAJE, por Monelos y Eirís.
Número 22. PLAZA DE PONTEVEDRA a PUENTE DEL PASAJE, por Avenida de Alfonso Molina.
Número 23. PLAZA DE PONTEVEDRA a SOMESO.
Sin número. PLAZA DE PONTEVEDRA a Escuela Universitaria de Arquitectura Técnica (CASTRO DE ELVIÑA).

Autobuses urbanos de circúnvalación

Villa de Negreira, s/n. Telf. 25 58 46.
Número 41. ESTACION DE AUTOBUSES, Estación Ferrocarril San Cristóbal, Capitán Juan Varela, Vizcaya, Avenida de los Mallos, Puentedeume, San Jaime, González del Villar, San Lucas, Fuente Alamo, Cabo Santiago Gómez, Ronda de Outeiro, Alfredo Tella, Rodríguez de Santiago, 14 de Diciembre, Villa de Negreira, Gregorio Hernández, Avenida de La Habana, Manuel Murguía, Plaza de Portugal, Fernando Macías, Plaza de Pontevedra, Cantón Pequeño, Cantón Grande, Avenida de la Marina, PUERTA REAL, Paseo del Parrote, Plaza de Carlos I, Maestranza, Orillamar, Cementerio, San Amaro, Avenida de Navarra (TORRE DE HERCULES), Las Lagoas, Matadero, Pedro Barrié de la Maza, Juan Canalejo, PLAZA DE PONTEVEDRA, Alfredo Vicenti, Calvo Sotelo, Plaza de Portugal, Manuel Murguía, Paseo de Ronda, Avenida de Peruleiro, Gregorio Hernández, Villa de Negreira, 14 de Diciembre, Avenida de las Conchiñas, Avenida de Barcelona, González del Villar, Puentedeume, San Jaime, Noya, San Luis, Mariana Pineda, Estación de Ferrocarril San Cristóbal, ESTACION DE AUTOBUSES.
Número 42. ESTACION DE AUTOBUSES, Estación de Ferrocarril San Cristóbal, Capitán Juan Varela, Vizcaya, AVENIDA DE LOS MALLOS, Puentedeume, San Jaime, González del Villar, San Lucas, Fuente Alamo, Cabo Santiago Gómez, Ronda de Outeiro, Alfredo Tella, Rodríguez de Santiago, 14 de Diciembre, Villa de Negreira, Gregorio Hernández, Avenida de La Habana, Manuel Murguía, PLAZA DE PORTUGAL, Fernando Macías, PLAZA DE PONTEVEDRA, Juan Canalejo, Pedro Barrié de la Maza, Matadero, Las Lagoas, Avenida de Navarra (TORRE DE HERCULES), San Amaro, Cementerio, Orillamar, Maestranza, Plaza de Carlos I, PUERTA REAL, Avenida de la Marina, Cantón Pequeño, Juana de Vega, PLAZA DE PONTEVEDRA, Alfredo Vicenti, Calvo Sotelo, Plaza de Portugal, Manuel Murguía, Paseo de Ronda, Avenida de Peruleiro, Gregorio Hernández, Villa de Negreira, 14 de Diciembre, Avenida de las Conchiñas, Avenida de Barcelona, González del Villar, Puentedeume, San Jaime, Noya, San Luis, Mariana Pineda, Estación de Ferrocarril San Cristóbal, ESTACION DE AUTOBUSES.
Número 43. PUERTA REAL, Avenida de la Marina, Cantón Pequeño, Juana de Vega, PLAZA DE PONTEVEDRA, Alfredo Vicenti, Calvo Sotelo, Avenida de La Habana, Avenida de Peruleiro, Gregorio Hernández, José Baldomir, AGRA DEL ORZAN, Laracha, Gramela, González del Villar, Puentedeume, San Jaime, Noya, Asturias, Cronista Pacheco, CUATRO CAMINOS, Cronista Pacheco, Capitán Juan Varela, Vizcaya, Avenida de los Mallos, Puentedeume, San Jaime, González del Villar, Cardenal Cisneros, San Sebastián, Plaza de Comercio, Francisco Añón (VILLA DE NEGREIRA), Gregorio Hernández, Avenida de La Habana, Fernando Macías, PLAZA DE PONTEVEDRA, Juana de Vega, Cantón Pequeño, Cantón Grande, Avenida de la Marina, PUERTA REAL.

NOTA. Las paradas señaladas en letras mayúsculas, en principio y final de la línea, indican la señalización que llevan en las placas los autobuses y trolebuses.

Autobuses de interés turístico

Líneas que parten de la ESTACION DE AUTOBUSES. Caballeros, s/n. Telf. 23 96 44.
AEROPUERTO DE LA CORUÑA. 9 kilómetros. Empresa Autos Sigrás. Telf. 28 28 04.
BETANZOS (por carretera N-VI). 23 kilómetros. Empresa Ideal Gallego. Telf. 23 90 01.
BETANZOS (por Santa Cruz, Meirás y Sada).

29 kilómetros. Empresa Autos Cal Pita. Telfs. 20 68 87 y 20 62 02.
BILBAO (por Oviedo, Avilés, Gijón y Santander). 691 kilómetros. Empresa ALSA-VIACA. Telf. 23 92 41.
CAMBRE (por El Portazgo y El Burgo). 10 kilómetros. Empresa Rey. Telf. 28 28 04.
CAMARIÑAS (por Carballo, Bayo y Vimianzo). 90 kilómetros. Empresa Transportes Finisterre. Telf. 22 15 38.
CAYON (por La Grela, Arteijo y Playa de Barrañán). 23 kilómetros. Empresa Martínez. Telf. 25 32 95.
CORCUBION (por Carballo, Bayo y Vimianzo). 96 kilómetros. Empresa Transportes Finisterre. Telf. 22 15 38.
CORME (por Arteijo, Carballo, Buño y Ponteceso). 65 kilómetros. Empresa Transportes Finisterre. Telf. 22 15 38.
DORNEDA (por Porillo, Santa Cristina, Bastiagueiro y Santa Cruz). 11 kilómetros. Empresa Autos Cal Pita. Telfs. 20 68 87 y 20 62 02.
EL FERROL DEL CAUDILLO. (por Puente del Pedrido, Miño, Puentedeume y Jubia). 58 kilómetros. (Por Betanzos, Miño, Puentedeume y Las Pías). 66 kilómetros. Empresa Ideal Gallego. Telf. 23 90 01.
FINISTERRE (por Bayo, Vimianzo y Corcubión). 112 kilómetros. Empresa Transportes Finisterre. Telf. 22 15 38.
IRUN (por Oviedo, Gijón, Santander, Bilbao y San Sebastián). 830 kilómetros. Empresa ALSA-VIACA. Telf. 23 92 41.
LUGO (por Betanzos y Guitiriz). 95 kilómetros. Empresa Ribadeo. Telf. 22 28 16.
MALPICA (por Carballo y Buño). 52 kilómetros. Empresa Transportes Finisterre. Telf. 22 15 38.
MIÑO (por Puente del Pedrido). 25 kilómetros. Empresa Ideal Gallego. Telf. 23 90 01.
MONFERO (por Betanzos y Paderne). 43 kilómetros. Empresa El Rápido. Telf. 22 15 59.
MUGIA (por Carballo, Puenteceso, Lage y Puente del Puerto). 99 kilómetros. Empresa Transportes Finisterre. Telf. 22 15 38.
MUROS (por Santiago de Compostela y Noya). 135 kilómetros. Empresa Castromil Telf. 23 92 41.
MUROS (por Carballo, Corcubión, Cée y Carnota). 134 kilómetros. Empresa Transportes Finisterre. Telf. 22 15 38.
MUROS (por Cerceda y Santa Comba). 103 kilómetros. Empresa Transportes Finisterre. Telf. 22 15 38.
ORENSE (por Santiago de Compostela, con enlace y Lalín). 176 kilómetros. Empresa Castromil Telf. 23 92 41.
OVIEDO-GIJON (por Bahamonde, Villalba y Ribadeo). 322 kilómetros a Oviedo y 320 a Gijón. Empresa Ribadeo-ALSA. Telf. 22 28 16.
PASTORIZA. 6 kilómetros. Empresa Benito. Telf. 25 38 59.
PASTORIZA. 6 kilómetros. Empresa Transportes Finisterre. Telf. 22 15 38.
PLAYA DE GANDARIO (por Perillo, Oleiros y Sada). 20 kilómetros. Empresa Autos Cal Pita. Telf. 20 68 87 y 20 62 02. Sólo en verano.
PLAYA DE SANTA CRISTINA (por Las Jubias y Puente del Pasaje). 6 kilómetros. Empresa Autos Cal Pita. Telfs. 20 68 87 y 20 62 02. Sólo en verano.
PLAYA DE SANTA CRUZ (por Las Jubias, Puente del Pasaje y Playa de Bastiagueiro). 10 kilómetros. Empresa Autos Cal Pita. Telfs. 20 68 87 y 20 62 02. Sólo en verano.
PUENTES DE GARCIA RODRIGUEZ (por Betanzos, Puentedeume y Las Nieves). 77 kilómetros. Empresa Ideal Gallego. Telf. 23 90 01.
SADA (por El Burgo y Oleiros). 20 kilómetros. Empresa Autos Cal Pita. Telfs. 20 68 87 y 20 62 02.
SADA (por la costa). 26 kilómetros. Empresa Eliseo Pita. Telf. 62 00 16.
SAN PEDRO DE NOS (por el Burgo). 11 kilómetros. Empresa Autos Cal Pita. Telfs. 20 68 87 y 20 62 02.
SANTIAGO DE COMPOSTELA (por Ordenes). 65 kilómetros. Empresa Castromil. Telf. 23 92 41.
SOBRADO DE LOS MONJES (por Betanzos y La Castellana). 65 kilómetros. Empresa Ideal Gallego. Telf. 23 90 01.
VIGO (por Santiago de Compostela y Pontevedra). 155 kilómetros. Empresa Castromil. Telf. 23 92 41.
VILLALBA (por Irijoa y Momán). 79 kilómetros. Empresa El Rápido. Telf. 22 15 59.
VIVERO (por Betanzos, Puentedeume, El Ferrol, Jubia, Ortigueira y El Barquero). 161 kilómetros. Empresa Ideal Gallego. Telf. 23 90 01.

Otras líneas de autobuses

CARBALLO (por Arteijo y Laracha). 33 kilómetros. Empresa Trolebuses Coruña-Carballo, S. A. Salidas: Betanzos, 5. Telf. 22 63 95 y 22 12 07.
ORENSE (por Curtis, Mellid, Monterroso y Chantada). 162 kilómetros. Empresa Pereira. Salidas: Feijóo, 11. Telfs. 22 11 40 y 22 44 59.

TAXIS

Paradas

Avenida de General Sanjurjo (La Gaiteira). Telf. 28 08 15.
Avenida de Gran Canaria. Telf. 26 00 00.
Avenida de Hércules. Telf. 20 00 48.
Avenida de La Habana (Riazor). Telf. 25 00 52.

Avenida de los Mallos. Telf. 23 50 33.
Barrio de las Flores. Polígono Residencia de Elviña. Telf. 28 08 23.
Calle de la Torre. Telf. 20 00 83.
Carretera del Pasaje (Residencia S. O. E. Juan Canalejo). Telf. 28 04 61.
Concepción Arenal (Cuatro Caminos). Telf. 23 00 39.
Modesta Goicouria (Plaza de Pontevedra). Telf. 25 10 87.
Obelisco (Cantón Grande). Telf. 22 96 00.
Patio Estación de Autobuses.
Patio Estación de Ferrocarril San Cristóbal.
Plaza de España. Telf. 20 50 35.
Plaza de Orense. Telf. 22 70 72.
Plaza de Santa Catalina.
Ronda de Outeiro (Divina Pastora). Telf. 25 10 43.
San Leandro (Avenida de Finisterre). Telf. 25 10 48.
NOTA. Los taxistas tienen la obligación de exibir las tarifas vigentes a requerimiento del usuario.

ALQUILER DE COCHES SIN CONDUCTOR

AUTOS GOYA. Cantón Grande, 18 y 20. Telf. 22 63 39.
LORENZO. San Andrés, 92. Telf. 22 67 91.
AUTOS NILO. Avenida Finisterre, 26. Telf. 25 14 59.
AUTOS RUTA. Francisco Añón, 5 y 7. Telf. 26 23 45.
AUTOTUR. Jardines Méndez Núñez. Edificio Kiosko Alfonso. Telf. 22 34 49.
AVIS. Plaza de Vigo, local 5. Telf. 22 69 55.
CAROP ITAL. Juan Flórez, 47. Telf. 22 83 74.
FRANCISCO JAVIER. Bellavista, 11 y 13. Telf. 25 82 55.
HERTZ. Sol, 11. Telf. 20 11 17.

ALQUILER DE COCHES (gran turismo)

Paseo de Coches, Jardines de Méndez Núñez. Telf. 22 16 12.
VIGO Y PENA. Juan XXIII, 2. Telf. 20 82 82.

TALLERES DE REPARACION DE AUTOMOVILES

AUSTIN, B. M. C., MORRIS, M. G., PRINCESS, RILEY, WOSLEY, AUTHI. Médico Rodríguez, 8 y 10. Telf. 25 23 00. (Mecánica, electricidad, lavado y engrase).
CHRYSLER ESPAÑA, MOTOR MOSA. Perillo. Km. 600 carretera Madrid-La Coruña. Telf. 63 52 00. (Mecánica y electricidad).
CITROEN. Avenida General Sanjurjo, 117 y 119. Telf. 28 34 00. (Mecánica y repuestos).
D. K. W., MERCEDES BENZ, WOLSWAGEN, AUDI. Automóviles Louzao. Fernández Latorre, 55. Telf. 23 70 10. (Mecánica y repuestos).
BOSCH MOTORES. Edelmiro Rodríguez. Pedralonga. Telf. 23 33 40. (Taller completo.)
FIAT-SEAT. Perillo. Km 600 carretera Madrid-La Coruña. Telf. 26 01 62, extensión 164. (Taller completo.)
FINANZAUTO (PEGASO, LEYLAND). Las Jubias. Telf. 28 11 77. (Recambios.) Telf. 28 35 11. (Taller completo.)
LAND ROVER. Avenida de General Sanjurjo, 117 y 119. Telf. 28 54 00. (Taller completo.)
PEGASO (agencia oficial). Marqués de Figueroa, 70. Telf. 23 14 42. (Mecánica y electricidad).
PEUGEOT, Piñeiro Cabarcos. Doctor Fleming, 6 y 8. Telf. 23 81 57. (Taller mecánico.)
RENAULT. Carretera del Pasaje. Casablanca. Telf. 28 12 99. (Taller completo.)
SEAT. Avenida del Alcalde Alfonso Molina. Telf. 28 39 99. (Taller completo.)
SIMCA, DODGE. José Cabarcos. El Ventorrillo. Telf. 25 69 08. (Taller completo.)
VOLVO. José Luis Palacios. Perillo. Km. 600 carretera Madrid-La Coruña. Telf. 28 54 99. (Taller completo.)
TALLER ELECTROMECANICO PEPE. Argentina, 6. Telf. 25 63 29. (Direcciones y frenos.)
TALLER PITA. Primera Travesía Francisco Añón, s/n. Telf. 25 70 85. (Electricidad.)
TALLERES PRIETO. Juan Flórez, 13. Telf. 22 35 63. (Frenos y direcciones.)
NEUMATICOS RIERA. Servicio Firestone. Federico Tapia, 67. Telf. 23 27 26. (Servicios.) Plá y Cancela, 49. Telf. 23 75 58. (Taller.)
NEUMATICOS GENERAL. Alfredo Vicenti, 20. Telf. 25 23 50.
NEUMATICOS MICHELIN. Marqués de Amboage, 10. Telf. 23 08 47.
NEUMATICOS PIRELLI. Federico Tapia, 4. Telf. 22 28 31. (Servicios.) Fonteculler, s/n. Telf. 28 32 99. (Taller).
RECAUCHUTADOS CARLOS. Avenida de General Sanjurjo, 40. Telf. 28 10 45. (Neumáticos en general.)

ESTACIONES DE SERVICIO

LA CORUÑA. Avenida de Fernández Latorre, 60 y 62. Telf. 23 11 12.
AGUALADA, Manuela Pose Porteiro. Carretera La Coruña-Finisterre, km 46,3.
ARTEIJO. Amalia Dopico Torres. Carretera La Coruña-Finisterre, km 9,8.
SADA. Pedro Agustín Agra Fernández.

ORDENES. Manuel Concheiro García.
ESPIRITU SANTO. Manuel González Comendeiro. Km. 14 de la carretera N-VI, La Coruña-Madrid.
BETANZOS (Las Cascas). Eugenio Bañobre Fernández.
PERILLO (Oleiros). Puente del Pasaje. Estación de Servicio Santa Cristina.
PUENTEDEUME. Jesús Fernández Fernández.
SANTA CRUZ (Oleiros). Julio Garrido Pita.
CARBALLO. José Pose Mata.
PAYOSACO. José Pose Mata.
BETANZOS. Aparicio Rivas.
MELLID. Angel Osorio Vázquez López.
CARRAL. Vicente Otero Valcárcel.
FONTECULLER. Carretera de El Burgo, km 6 desde La Coruña.
LAS JUBIAS. Las Jubias. Telf. 28 24 10.
MONTE SALGUEIRO (Aranga). Martín Iglesias Salorio.
TORDOYA. Julio Mario Concheiro.
VIMIANZO. Jesús Pérez Suárez.
MIÑO. Alejandro Vázquez Saavedra.
CORREDOIRAS. Manuel Vázquez Carmuega.
BAYO. Alfonso Martínez Fuentes.
CEE. Marcos Villar Graiño.
VILASANTAR. Benigno Barral.
PUENTECESO. Emiliano Mato Andrade.
CERCEDA. José Boque Rivero.
SIGRAS. Antonio López Bugallo.
PUENTES DE GARCIA RODRIGUEZ. «La Casilla». Carretera comarcal 641, km 480.
NARON. «Paris». Carretera comarcal 642, km 624. Km 580 N-VI.
FREIXEIRO (Narón). «San Luis». Carretera local 113, ramal de la comarcal 642, km 0,015.
JUBIA (Narón). «Santa Rita». Carretera comarcal 642, km 620. Km 5 de la N-VI.
SANTA MARTA DE ORTIGUEIRA. Carretera comarcal 642, km 36,2.
MOURELA (Neda). «Falcón». Carretera comarcal 641, km 511,5.
FENE Carretera N-VI, km 613,1.
VALDOVIÑO. Km. 12,1.
LA CAPELA. «As Veigas». Carretera local 141, km 11,182.
EL FERROL DEL CAUDILLO. «Las Pías». Carretera N-VI, km 617,4.
SANTIAGO DE COMPOSTELA. Carretera N-550, km 61,9.
SANTIAGO DE COMPOSTELA. Carretera enlace N-525.
SANTIAGO DE COMPOSTELA. Carretera N-550, km 63,4.
SANTIAGO DE COMPOSTELA. Carretera N-550, km 67,9.
VIDAN (Santiago de Compostela). Carretera comarcal 543, km 2,6.
ARCA. Carretera comarcal 547, km 598,3 (después de Labacolla).
CARNOTA. Carretera comarcal 550 (casco urbano).
NEGREIRA. Carretera Santiago a Negreira, km 20,1.
MUROS. Carretera comarcal 550 (casco urbano).
BORIO. Carretera comarcal 550 (casco urbano).
PUENTE ULLA. Carretera N-525 (casco urbano).
CASALONGA. Carretera N-550, km 72.
TRAZO. Camino vecinal de Ordenes a Santiago, ramal de la N-550, km 14.
PUENTEVEA. Carretera comarcal 541, km 128.
SANTA COMBA. Carretera comarcal 545, km 74,2.
RIAL (Valle de Dubra). Carretera Santiago a Carballo, km 24.
PICARAÑA. Carretera N-550, km 75.
ARZUA. Carretera comarcal 547, km 575,9.
SIERRA DE OUTES. Carretera comarcal, 550 (casco urbano).
NOYA. Carretera comarcal 543 (casco urbano).
RIBEIRA. Carretera comarcal 550 (casco urbano).
PORTOMOURO. Carretera comarcal 545 (casco urbano).
SIGÜEIRO. Carretera N-550, km 52.

Surtidores de gasolina en La Coruña

Fernández Latorre, 60. Telf. 23 11 12.
Juan Flórez, 57.
Avenida Alférez Provisonal, Telf. 22 47 97.
Plaza de Pontevedra.

Surtidores de gasolina en los alrededores

ESTACION DE SERVICIO LAS JUBIAS. Las Jubia. Telf. 28 24 10.
CAMILO. Puente del Pasaje. Telf. 28 61 18. (Lavado y engrase.)
ESTACION DE SERVICIO SANTA CRISTINA. Puente del Pasaje. Telf. 26 01 62, extensión 53.
ESTACION DE SERVICIO FONTECULLER. Carretera de El Burgo. Telf. 67 91 00 extensiones 70 y 192.
ESTACION DE SERVICIO SAN CRISTOBAL. Avenida del Marqués de Figueroa, 70. Carretera La Coruña-Finisterre. Telf. 28 56 66.
ESTACION DE SERVICIO SAN FERNANDO. Villarrodris. Carretera La Coruña-Finisterre, km 9. Telf. 60 01 13.

Garajes

Aparcamiento subterráneo «Coruña». Plaza de Vigo. Telf. 22 90 08.
Aparcamiento subterráneo «Orzán». Plaza de Pontevedra. Telf. 22 62 89.
ARIAS. Pondal, 8. Telf. 25 20 95. (Lavado, engrase, petroleado y ruedas.)
BUGALLO. Ronda de Outeiro, 32. Telf.

28 67 70. (Lavado, engrase y cambio filtro aceite.)
CAMILO. Puente del Pasaje, 11. Telf. 28 61 18. (Lavado y engrase.)
CAPITOL. Juan Flórez, 64 y 66. Telf. 25 38 47. (Lavado.)
CENTRAL. Marqués de Amboage, 12 y 14. Telf. 23 32 65. (Lavado y engrase.)
CORUÑA. Avenida de Primo de Rivera, 2. Telf. 23 05 70. (Lavado y engrase.)
ESMERALDA. Cuesta de la Palloza. Telf. 23 60 75. (Lavado, engrase y aceites.)
FINISTERRE. Avenida de Finisterre, 26. Telf. 25 14 59. (Lavado y engrase).
GRA-DAL. República Dominicana, 3. Telf. 25 87 12. (Lavado y engrase.)
LEAL. Puente, 3 (La Gaiteira). Telf. 28 14 64. (Lavado y engrase.)
MADRID. Avenida de Finisterre, 25. Telf. 25 21 48.
MILAN. Rey Abdullah, 10. Telf. 25 04 84. (Lavado, engrase y limpieza de motores.)
MIRAMAR. Avenida de Rubine, 43. Telf. 25 00 90. (Lavado y engrase.)
PARIS. Bolivia, 1. Telf. 25 30 32. (Lavado y engrase.)
PIÑEIRO. Juan Flórez, 88 y 90. Telf. 23 58 51. (Lavado.)
POLAR. Fernando Macías, 18. Telf. 25 35 30. (Lavado.)
RAN-CAR. Padre Sarmiento, 8. Telf. 25 55 47. (Lavado y engrase.)
RIAZOR. Alfredo Vicenti, 32. Telf. 25 30 79. (Lavado).
SOL. Sol, 35 y 37. Telf. 20 50 23. (Lavado, engrase y pintura de bajos.)
STAR. Wenceslao Fernández Flórez, 2. Telf. 23 88 54. (Lavado y engrase.)
VIRGINIA. Juan Flórez, 36 (sótano). Telf. 25 14 84. (Lavado.)
VITORIA. Rey Abdullah, 7 y 9. Telf. 25 35 45. (Lavado.)

EL PUERTO DE LA CORUÑA

Muelles de atraque

MUELLE DEL ESTE. Línea de atraque de 350 metros. Calado en bajamar viva equinoccial 6 metros
MUELLE DE LA PALLOZA. Línea de atraque de 300 metros. Calado mínimo 8 metros.
MUELLE UNIFICADO DE SANTA LUCIA Y LINARES RIVAS. Línea de atraque de 466 metros. Calado mínimo de 7 a 6 metros.
MUELLE CALVO SOTELO SUR. Línea de atraque 459 metros. Calado mínimo 10 metros.
MUELLE CALVO SOTELO NORTE. Línea de atraque 250 metros. Calado mínimo 10 metros.
MUELLE DE LA BATERIA. Línea de atraque 245 metros. Calado mínimo 8 metros.
MUELLE DE MENDEZ NUÑEZ. Línea de atraque 280 metros. Calado mínimo 8 metros.
DARSENA DE LA MARINA. Línea de atraque 868 metros. Calado mínimo 3 metros.
MUELLE PETROLERO. Línea de atraque 1.005 metros. Calado mínimo 13 metros.
MUELLE DE LAS ANIMAS. Línea de atraque 364 metros. Calado mínimo 12 metros.
PUERTO DEPORTIVO. Línea de atraque 350 metros. Este puerto deportivo se encuentra situado entre el castillo de San Antón y el muelle de las Animas.

IGLESIAS

Parroquias católicas

SAN JORGE. San Agustín, 2 y 4. Telf. 20 59 45.
SANTA MARIA Y SANTIAGO. Parrote, 1. Telf. 20 56 96.
SAN NICOLAS. San Agustín, 37. Telf. 22 26 85.
SANTA LUCIA. Plaza de Lugo, s/n. Telf. 22 29 90.
SAN PEDRO DE MEZONZO. Castiñeira de Abajo, s/n. Telf. 23 02 10.
SANTO TOMAS. Torre, 99. Telf. 20 22 67
SAN JOSE. Plaza de San José, s/n. Telf. 20 33 66.
NUESTRA SEÑORA DEL CARMEN. General Sanjurjo, 192 y 216. Telf. 28 33 47.
NUESTRA SEÑORA DE FATIMA. Novoa Santos, 32. Telf. 28 53 67.
SANTA MARIA DE OZA. Monelos, s/n. Telf 28 12 08.
SAN ANTONIO. Barcelona, 13. Telf. 25 67 1[illegible]
SAN PIO X. Prolongación Avenida de L Habana, 86. Telf. 25 18 48.
SAN PEDRO DE VISMA. Río, 1. Telf. 25 13 8[illegible]
SANTA MARGARITA. Avenida de Finisterre, 121. Telf. 26 11 29.
SAN ROSENDO. Sagrada Familia, s/n. Telf 25 04 47.
SAN CRISTOBAL. Lonzas, 45. Telf. 23 39 44.

Otras iglesias católicas

VENERABLE ORDEN TERCERA. Plaza de Carlos I. Telf. 20 57 31.
SANTA MARIA DEL CAMPO. Damas, s/n.
CONVENTO SANTA BARBARA (clausura). Telf. 20 63 30.
SANTO DOMINGO. Plaza de Santo Domingo, s/n. Telf. 20 58 50.
CONVENTO DE LAS MM. CAPUCHINAS. Panaderas. Telf. 20 89 76.
PP. FRANCISCANOS. Avenida de Calvo Sotelo, 51. Telf. 25 17 40.
PP. CARMELITAS DESCALZOS. Montiño Telf. 28 53 57.
PP. SALESIANOS. Hospital, s/n. Telf. 20 35 50.
SAN ANDRES. San Andrés. Telf. 22 25 64.

PP. CAPUCHINOS. Federico Tapia, 69. Telf. 23 11 17.
SAGRADO CORAZON DE JESUS. Juana de Vega, 27. Telf. 22 21 62.
PP. PASIONISTAS. Puente del Pasaje. Telf. 28 71 16.
PP. REDENTORISTAS. Marqués de Amboage, 15. Telf. 23 07 13.
RESIDENCIA HIJAS MARIA INMACULADA. Plazuela de los Angeles, 2. Telf. 22 66 78.
PP. CALASANCIOS. Camino Fuerte San Pedro. 25 36 84.
MM. CALASANCIAS. Camino Fuerte San Pedro. Telf. 25 64 29.
COMPAÑIA DE MARIA. Calvo Sotelo, 2. Telf. 25 03 50.
HERMANOS MARISTAS. Teresa Herrera, 5. Telf. 22 13 91.
MM. TERCIARIAS. Avenida de Rubine, 16. Telf. 25 09 43.
MADRES OBLATAS. Río Quintas, 15. Telf. 28 70 18.
MM. ESCLAVAS DEL SAGRADO CORAZON. Paseo de Ronda, s/n.
SAN VICENTE DE ELVIÑA. Elviña.

Iglesias no católicas

IGLESIA CRISTIANA ADVENTISTA DEL SEPTIMO DIA. Prolongación de San Vicente, s/n. Telf. 23 33 37.
IGLESIA EVANGELICA BAUTISTA. Francisco de Tettamancy, 12. Telf. 23 52 10.
IGLESIA EVANGELICA BAUTISTA. Panaderas, 16.
IGLESIA EVANGELICA BAUTISTA. Plaza de Orense, 7 y 8 (interior).
EJERCITO DE SALVACION. Francisco Añón, 34. Telf. 26 00 98.

TEATROS Y CINES

Teatro-Cine COLON. Avenida de la Marina, s/n. Telf. 22 44 95.
Teatro-Cine ROSALIA DE CASTRO. Riego de Agua, 37. Telf. 22 14 31.
Cine ALFONSO MOLINA. Angel Senra, 10. Telf. 23 02 24.
Cine AVENIDA. Cantón Grande, 18 y 20. Telf. 22 23 24.
Cine CORUÑA. Plazuela Cine Coruña. Telf. 22 27 45.
Cine EQUITATIVA. Plaza de Vigo, 24. Telf. 22 41 31.
Cine GOYA. Cordelería, 40. Telf. 22 18 78 (sala especial).
Cine PARIS. Real, 88. Telf. 22 45 41.
Cine REX. F. Fariña, 4. Telf. 25 37 45.
Cine RIAZOR. Avenida de Rubine, 8. Telf. 25 22 50.
Cine FINISTERRE. Avenida de Finisterre, 256. Telf. 25 24 85.

CLUBS, DISCOTECAS Y SALAS DE FIESTAS

AS GABEIRAS. Parrilla Hotel Atlántico. Jardines de Méndez Núñez. Telf. 22 90 11.
C'ASSELY. Pintor J. Bahamonde, s/n. Telf. 22 90 38.
DIANA CLUB. Avenida de Rubine, 28. Telf. 25 11 20.
CINCO ESTRELLAS. Juan Flórez, 30 y 32. Telf. 25 10 14.
DORNA CLUB. Callejón de la Estacada. Avenida de la Marina. Telf. 22 73 97.
EL DOS. Santa Catalina, 2. Telf. 22 10 40.
FINISTERRE. Paseo del Parrote. Sala del Hotel Finisterre. Telf. 20 50 30 (sólo en verano).
LA GRANJA. Pío XII, 6. Telf. 20 50 08.
LA SOLANA. Paseo del Parrote. Telf. 20 65 92 (sólo en verano).
LORD BYRON. Travesía Zapatería, 2. Telf. 20 50 62.
MARUX. Asturias, 15. Telf. 23 00 01.
NEMESIS. Doctor Fleming, 27. Telf. 23 70 51.
PLAYA CLUB. Andén Playa de Riazor. Telf. 25 00 63.
PON-PON CLUB. Pardo Bazán, 7. Telf. 22 73 39.
RIGBABA. Federico Tapia, 7 y 9. Telf. 22 48 99.
SAFARI HILTON PUB. Avenida de Finisterre, 30 y 36. Telf. 25 10 09.
SALLYV. Eusebio da Guarda, 7. Telf. 23 64 75.
WHISKY CLUB. Avenida de la Marina, 39. Telf. 22 18 87.
XORNES CLUB. Pío XII, 1. Telf. 22 67 43.
PLAY BOY. Ponda, 2.

En las cercanías de La Coruña:

FIESTA PLAZA. Las Jubias, 7. Telf. 28 62 70. A 3 kilómetros.
MACKINLAY'S CLUB. Perillo (Oleiros). Telf. 26 01 62, extensión 518. A 6 kilómetros.
VOLVORETA. Perillo (Oleiros). A 6 kilómetros.
CUP'S. Playa de Santa Cristina. A 6 kilómetros.
GOLDEN FISH. Playa de Santa Cristina. Tefl. 26 01 62, extensión 337. A 6 kilómetros.
MARIO'S 2002. Playa de Santa Cristina. Telf. 26 01 62, extensión 418. A 6 kilómetros.
OSMIK. Playa de Santa Cruz. Telf. 36. A 10 kilómetros.
PORTOCOBO. Playa de Santa Cruz. Telf. 257. A 10 kilómetros.
WATERGATE. Playa de Santa Cruz. A 10 kilómetros.
EL SEIJAL. San Pedro de Nos. Carretera

Madrid-La Coruña. Telf. 66 00 67. A 11 kilómetros.

CLUBS Y SOCIEDADES DEPORTIVAS

AEROMODELISMO CLUB CORUÑA. Comandante Fontanes, 37. (Deporte aéreo.)
AUTO AEREO CLUB DE GALICIA. Federación de Automovilismo. Cantón Grande, 18. Telf. 22 18 30.
AERTO CLUB DE LA CORUÑA. Marcial del Adalid, 2. Telf. 22 54 60.
CASINO DE LA CORUÑA. Real, 85. Telf. 22 83 06. (Ajedrez, tenis, motonáutica.)
CLUB BOSCO. San Andrés, 28. Telf. 22 90 36. (Baloncesto, esgrima, hockey y pelota.)
CLUB DE GOLF. Monte de la Zapateira (Culleredo). Telf. 28 52 00. A 11 kilómetros. (Golf y tenis.)
CLUB DE TENIS. San Pedro de Nós. Telf. 66 05 19. A 11 kilómetros. Oficinas: Cantón Grande, 9 y 12-6.º. Telf. 22 65 30.
CLUB DEL MAR. Ensenada de San Amaro. Telf. 20 22 51. (Actividades subacuáticas, halterofilia, lucha, natación, pesca, pelota, patinaje y tenis de mesa.)
CLUB DE PESCA DEPORTIVA KEFAS. Linares Rivas, 30.
CLUB NATACION CORUÑA. La Solana. Paseo de Parrote. Telf. 20 65 92. (Judo, natación, piragüismo, tenis y tenis de mesa.)
CIRCULO DEPORTIVO LICEO LA PAZ. Polígono Residencial de Elviña. Telf. 28 62 99. (Patinaje y hockey.)
EDUCACION Y DESCANSO. Pardo Bazán, 27. Telf. 23 11 40. (Remo.)
ESCUDERIA CENTOLLO. Arzobispo Lago, 4. (Automovilismo.)
ESCUDERIA LA CORUÑA. Huertas, s/n. (Automovilismo.)
FEDERACION DE ACTIVIDADES SUBACUATICAS. Riego de Agua, 3-1.º Telf. 22 22 34.
FEDERACION DE AJEDREZ. Riego de Agua, 9-1.º Telf. 22 74 06.
FEDERACION DE ATLETISMO. Sánchez Bregua, 11. Telf. 22 66 29.
FEDERACION DE BALONCESTO. Plaza de Lugo, 10-3.º Telf. 22 99 45.
FEDERACION DE BALONMANO. Riego de Agua, 9-1.º Telf. 22 74 06.
FEDERACION DE BEISBOL. Riego de Agua, 9-1.º Telf. 22 74 06.
FEDERACION DE BOXEO. Riego de Agua, 9-1.º Telf. 22 74 06.
FEDERACION DE CAZA. Plaza de María Pita, 13-2.º Telf. 20 62 61.
FEDERACION DE ESGRIMA. Plaza del Maestro Mateo, 19-3.º B. Telf. 26 26 68.
FEDERACION DE FUTBOL. Menéndez Pelayo, 18-2.º Telf. 22 33 30.
FEDERACION DE HIPICA. Avenida de La Habana, 9. Telf. 25 09 60.
FEDERACION DE HOCKEY. Riego de Agua, 9-1.º Telf. 22 74 06.
FEDERACION DE JUDO. Riego de Agua, 9-1.º Telf. 22 74 06.
FEDERACION DE MOTOCICLISMO. Rúa Nueva, 3 y 5. Telf. 22 75 06.
FEDERACION DE MOTONAUTICA. Plaza de Lugo, 4.
FEDERACION DE NATACION. Riego de Agua, 9-1.º Telf. 22 74 06.
FEDERACION DE PATINAJE. Riego de Agua, 9-1.º Telf. 22 74 06.
FEDERACION DE PESCA. Rubine, 28. Telf. 25 17 99.
FEDERACION DE SALVAMENTO Y SOCORRISMO. Riego de Agua, 9-1.º Telf. 22 74 06.
FEDERACION DE TENIS. Juan Castro Mosquera, 72. Telf. 23 58 04.
FEDERACION DE TENIS DE MESA. Riego de Agua, 9-1.º Telf. 22 74 06.
FEDERACION DE TIRO OLIMPICO. Plaza de Lugo, 10-3.º. Telf. 22 99 45.
FEDERACION DE VELA. Alfredo Vicenti, 4. Telf. 25 37 14.
JUNTA PROVINCIAL DE EDUCACION FISICA Y DEPORTES. Casa del Deporte. Riego de Agua, 9-1.º Telf. 22 74 06.
MOTO CLUB CORUNA. Arzobispo Lago, 4. Telf. 22 73 95. (Motorismo.)
PEÑA ROBALO, Sociedad de Pesca deportiva. Torre, 73. (Pesca.)
PEÑA TAURINA CORUÑESA. San Andrés, 98. Telf. 22 82 44.
REAL CLUB DEPORTIVO DE LA CORUÑA. Plaza de Pontevedra, 28-1.º Telf. 22 95 00. (Ajedrez, patinaje, fútbol y atletismo.)
REAL CLUB NAUTICO. Espigón de la Dársena. Telf. 22 68 80. (Natación, vela, pesca, motonáutica, actividades subacuáticas.)
SALMO, Club de Pesca deportiva. Orzán, 80. Telf. 20 66 41. (Pesca.)
SOCIEDAD COLOMBOFILA CORUÑESA. Puente, 8. Telf. 28 71 31.
SOCIEDAD CINEGETICA CORUÑESA. Avenida de Arteijo, 1. Telf. 25 44 12. (Caza y pesca.)
SOCIEDAD DEPORTIVA HIPICA. La Estrada, s/n. Telf. 20 88 42. (Hípica, natación, tenis, tenis de mesa y tiro olímpico.)

COMPLEJOS DEPORTIVOS, PISCINAS Y CAMPOS DE DEPORTE

CLUB DEL MAR. Ensenada de San Amaro Telf. 20 22 51. (Natación, patinaje, tenis, baloncesto, balonmano, halterofilia y voleibol.)
ESTADIO MUNICIPAL DE RIAZOR. Manuel Murguía, s/n. Telf. 25 12 91. (Atletismo, fútbol y pelota.)
LA SOLANA. Paseo de Parrote, s/n. Telf.

20 65 92. (Gimnasia, natación, tenis, baloncesto y patinaje.)
PALACIO MUNICIPAL DE DEPORTES. Explanada Riazor. Telf. 26 03 80. (Atletismo, baloncesto, balonmano, boxeo, esgrima, gimnasia, halterofilia, judo, lucha, patinaje y tenis.)
POLIDEPORTIVAS MUNICIPALES. Avenida de La Habana, s/n. Telf. 26 17 83. (Todos los deportes de sala.)
SOCIEDAD DEPORTIVA HIPICA. La Estrada, s/n. Telf. 20 88 42. (Esgrima, hípica, natación, tenis y tiro olímpico.)
UNIVERSIDAD LABORAL CRUCERO BALEARES. Haciadama, El Burgo (Culleredo). Telf. 66 07 04. A 7 kilómetros. (Atletismo, baloncesto, balonmano, fútbol, gimnasia, hockey, tenis, patinaje, natación, motorismo en las especialidades de moto-cross y trial y voleibol.)

CONSULADOS

ARGENTINA. Linares Rivas, 35. Telf. 22 11 41.
BELGICA. Juana de Vega, 36. Telf. 22 57 02.
BOLIVIA. Juan Flórez, 49-9.º Izq. Telfs. 25 18 37 y 22 87 56.
BRASIL. Linares Rivas, 35. Telf. 22 35 07. Y Feijóo, 4-bajo. Oficinas: Ramón Molina. Telf. 22 72 91.
COLOMBIA. Avenida de Finisterre, 25. Telf. 25 35 31.
COSTA RICA. Linares Rivas, 43-9.º Telf. 23 10 95.
DINAMARCA. Arzobispo Lago, 2. Telf. 22 48 28.
EL SALVADOR. Avenida de Buenos Aires, 59. Telf. 25 22 79.
FINLANDIA. Plaza de Orense, 6. Telf. 22 20 99.
FRANCIA. Linares Rivas, 30-2.º Telfs. 25 92 00 y 22 82 04.
GRECIA. Plaza de Orense, 3-3.º Telf. 22 30 86.
HOLANDA. Santiago, 2. Telfs. 20 56 69 y 20 67 03.
ITALIA. Arzobispo Lago, 2. Telfs. 22 48 28 y 22 19 49.
NORUEGA. Santiago, 2. Telfs. 20 67 03 y 20 56 69.
PORTUGAL. Francisco Mariño, 3. Telf. 22 13 69.
REPUBLICA DOMINICANA. Plaza de María Pita, 4-3.º Telf. 20 81 71.
SUECIA. Linares Rivas, 2. Telf. 22 28 24.
URUGUAY. Cantón Pequeño, 15. Telf. 22 11 66.

BANCOS

BANCO ATLANTICO. Cantón Grande, 16 y 17. Telf. 22 48 03.
BANCO DE BILBAO. Cantón Pequeño, 21. Telf. 22 69 00.
BANCO CENTRAL. Marchesi y Dalmau, 1. Telf. 22 92 00.
BANCO COCA. Juan Flórez, 11. Telf. 22 24 00.
BANCO DE CREDITO E INVERSIONES. Linares Rivas, 6. Telf. 22 43 05.
BANCO DE ESPAÑA. Durán Loriga, s/n. Telf. 22 81 00.
BANCO ESPAÑOL DE CREDITO. Cantón Pequeño, 15. Telf. 22 71 00.
BANCO ETCHEVERRIA. Avenida de la Marina, 40. Telf. 22 62 93.
BANCO EXTERIOR DE ESPAÑA. Juana de Vega, 2 y 4. Telf.22 16 28.
BANCO DE FINANZAS. Juana de Vega, 33. Telf. 22 89 93.
BANCO DE FOMENTO. Real, 65. Telf. 22 22 02.
BANCO HERRERO. Plaza de Pontevedra, 23. Telf. 26 24 00.
BANCO DE GRANADA. San Andrés, 123. Telf. 22 55 04.
BANCO DE GREDOS. Plaza de Orense, 7 y 8. Telf. 22 14 04.
BANCO HISPANO AMERICANO. Cantón Grande, 9 y 12. Telf. 22 50 00.
BANCO IBERICO. Juana de Vega, 31. Telf. 22 34 05.
BANCO INDUSTRIAL DEL SUR. Juana de Vega, 29. Telf. 22 91 00.
BANKUNION. Plaza de Orense, 8. Telf. 22 75 12.
BANCO DE MADRID. Juana de Vega, 5. Telf. 22 96 04.
BANCO MERCANTIL E INDUSTRIAL. Juana de Vega, 35. Telf. 22 94 05.
BANCO DEL NOROESTE. Linares Rivas, 28 y 32. Telf. 22 86 00.
BANCO PASTOR. Cantón Pequeño, 1. Telf. 22 41 00.
BANCO DE SANTANDER. San Andrés, 145. Telf. 22 51 00.
BANCO SIMEON. Franja, 22. Telf. 22 24 89.
BANCO DE VIZCAYA. Real, 74 y 76. Telf. 22 72 00.
BANCO ZARAGOZANO. Real, 73. Telf. 22 25 08.
CAJA DE AHORROS DE LA CORUÑA. Y LUGO. Rúa Nueva, 30. Telf. 22 91 02.

BIBLIOTECAS

ARCHIVO Y BIBLIOTECA MUNICIPAL. Ayuntamiento. Segunda planta. Telf. 22 79 00.
Horario: de 9,00 a 14,00, excepto domingos.
ARCHIVO HISTORICO REGIONAL. Casa de la Cultura. Jardín de San Carlos. Telf. 20 92 51.
Horario: de 10,00 a 14,00 y de 16,00 a 19,00, excepto sábados por la tarde y domingos.
BIBLIOTECA DE LA CAMARA DE COMERCIO. Alameda, 38. Telf. 22 52 31.

Horario: de 10,00 a 14,00 y de 17,00 a 20,00, excepto domingos.

BIBLIOTECA PUBLICA DEL ESTADO. Casa de la Cultura. Jardín de San Carlos. Telf. 20 95 38.
Horario: de 10,00 a 13,30 y de 16,30 a 20,00. Sólo días laborables.

BIBLIOTECA DE LA REAL ACADEMIA GALLEGA. Ayuntamiento. Segunda planta. Telf. 22 14 06.
Horario: de 9,00 a 14,00, excepto domingos.

BIBLIOTECA DEL REAL CONSULADO MARITIMO. Plaza del Pintor Sotomayor. Planta baja del Museo Provincial de Bellas Artes. Telf. 20 62 74.
Horario: de 10,00 a 14,00 y de 16,00 a 18,00 (también en verano).

BIBLIOTECA UNIVERSITARIA DE LA CAJA DE AHORROS DE LA CORUÑA Y LUGO. Cantón Pequeño, 25. Telf. 22 93 76.
Horario: de 9,00 a 14,00. Sólo días laborables.

ANTICUARIOS

ANMODER. Plaza del General Franco, 7. Telf. 20 69 83.
ANTICUARIO. Santiago, 17. Telf. 22 83 95.
EL ARCON. Alfonso, IX, 1. Telf. 20 59 44.
EL COBRE. Tinajas, 9. Telf. 20 97 42.
EL DESVAN. Santo Domingo, 9. Telf. 23 55 24.
LA GALERIA. Parrote, 2. Telf. 20 67 07.
MATO CARDELLE. Zapatería, 5. Telf. 20 87 94.

ARTESANIA

ABOFE. Puerta de Aires, 7. (Cerámica.)
ELECTROHOGAR. Plaza de María Pita, 13. Telf. 20 46 85. (Cerámica.)
ENCAJE DE CAMARIÑAS CARMEN. San Andrés, 39. Telf. 22 33 75.
EL ZUECO. Plaza, 4. (Cerámica.)
EL CAPRICHO. Real, 16. Telf. 22 26 19.
SUCESORES DE CANUTO BEREA. Real. (Instrumentos musicales.)

SALAS DE EXPOSICION

ASOCIACION DE ARTISTAS. Riego de Agua, 32. Telf. 22 52 77.
GALERIA CEIBE. Cantón Grande, 16 y 17-3.º Telf. 22 38 97.
MESTRE MATEO. Real, 22-1.º
MUSEO CARLOS MASIDE. Cerámicas «El Castro». El Castro, 18. Osedo, Sada, a 16 kilómetros. Telf. 62 02 00.
PLAYA CLUB-«OS ARCADOS». Andenes Playa de Riazor. Telf. 23 55 60.
SALA GIANNINI. Avenida de Finisterre, 30 y 36. Telf. 26 15 54.
SALON DEL AYUNTAMIENTO. Plaza de María Pita. Ayuntamiento. Telf. 22 79 00.
SALON DE LA CAMARA DE COMERCIO. Alameda, 38. Telf. 22 52 31.
SALON DE LA TERRAZA. Jardines de Méndez Núñez. Edificio La Terraza. Telf. 22 11 74.

Suelen celebrarse también exposiciones en:

«PUB» LOS PORCHES. Avenida de la Marina, 5. Telf. 22 70 77.

CENTROS CULTURALES

ALIANZA FRANCESA. Real, 26-1.º. Telf. 22 23 56.
ASOCIACION CINEMATOGRAFICA CORUÑESA (ACICO). Juan Flórez, 36-1.º J.
ASOCIACION CULTURAL IBEROAMERICANA. Casa de la Cultura. Jardín de San Carlos. Telf. 20 76 17.
ASOCIACION PRO MUSICA EN GALICIA MANOLO QUIROGA. Juan Flórez, 36. Telf. 22 49 40.
AMIGOS DE LA OPERA. Riego de Agua, 29. Telf. 22 96 07.
ASOCIACION DE LA PRENSA. Linares Rivas, 14. Telf. 22 34 86.
CENTRO ASTURIANO. Riego de Agua, 27. Telf. 22 61 61.
CENTRO ESPAÑOL DE NUEVAS PROFESIONES. Real, 29-3.º Telf. 22 58 30.
CINE CLUB LA CORUÑA. Colegio PP. Dominicos. Plaza de Santo Domingo. Telf. 20 58 50.
COLEGIO UNIVERSITARIO. Manuel Murguía, s/n. Telf. 26 10 53.
CONSERVATORIO PROFESIONAL DE MUSICA Y DECLAMACION. Fernández Latorre, 29. Telf. 23 32 23.
ESCUELA DE ARTES APLICADAS Y OFICIOS ARTISTICOS. Plaza de Pontevedra, 30. Telf. 22 53 96.
ESCUELA DE NAUTICA. Almirante Lángara, s/n. Telf. 25 67 00.
ESCUELA UNIVERSITARIA DE ARQUITECTURA TECNICA. Elviña, s/n. Telf. 28 71 88.
ESCUELA UNIVERSITARIA DE ESTUDIOS EMPRESARIALES. Paseo de Ronda, s/n. Telf. 25 36 93.
ESCUELA UNIVERSITARIA DE PROFESORADO DE ENSEÑANZA GENERAL BASICA. Paseo de Ronda, s/n. Telf. 25 23 42.
HOGAR CASTELLANO-LEONES. San Andrés, 70. Telf. 22 51 56.
HOGAR MUSICAL. Plaza de España, 8. Telf. 20 68 [illegible].
ESCUELA DE IDIOMAS. Polígono de Zalaeta. Telf. 26 07 54.
INSTITUTO FEMENINO. Plaza de Pontevedra, 30. Telf. 22 34 79.

INSTITUTO «JOSE CORNIDE» DE ESTUDIOS CORUÑESES. Plaza de María Pita. Ayuntamiento. Telf. 22 74 51.
INSTITUTO MASCULINO. Paseo de Ronda, s/n. Telf. 25 04 16.
INSTITUTO NACIONAL DE ENSEÑANZA MEDIA MIXTO «AGRA DEL ORZAN». Villa de Negreira, s/n. Telf. 25 34 82.
INSTITUTO NACIONAL DE ENSEÑANZA MEDIA MIXTO «ZALAETA». Polígono Zalaeta, s/n. Telf. 26 07 54.
INSTITUTO NACIONAL DE ENSENANZA MEDIA MIXTO «MONELOS». Camino de la Iglesia, s/n. Telf. 28 68 00.
LAR CATALAN. Real, 88. Telf. 22 68 66.
MUSEO ARQUEOLOGICO. Castillo de San Antón. Telf. 20 59 94.
MUSEO PROVINCIAL DE BELLAS ARTES. Plaza del Pintor Sotomayor. Telf. 20 56 30.
REAL ACADEMIA DE BELLAS ARTES «NUESTRA SEÑORA DEL ROSARIO». Museo Provincial de Bellas Artes. Telf. 20 56 30.
REAL ACADEMIA GALLEGA. Plaza de María Pita. Ayuntamiento. Telf. 22 14 06.
REAL ACADEMIA GALLEGA DE MEDICINA Y CIRUGIA. Rúa Nueva, 2. Telf. 22 49 40.
SOCIEDAD DE ANTIGUOS ALUMNOS SALESIANOS. San Andrés, 28. Telf. 22 90 36.
SOCIEDAD CATOLICA DE MAESTROS DE LA CORUÑA. Juan Flórez, 36. Telf. 26 04 00.
SOCIEDAD FILARMONICA. Riego de Agua, 29. Telf. 22 96 07.
BALLET GALLEGO. Santiago, 1. Telf. 22 36 10.
AGRUPACION FOLKLORICA ATURUXO. Plaza de María Pita, 1. Telf. 20 50 87.
AGRUPACION CULTURAL DE VISITADORES MEDICOS. Paseo de Ronda, 15. Telf. 26 00 81.
CANTIGAS DA TERRA. San Juan, 9. Telf. 20 32 84.
FOLLAS NOVAS. Plaza del Marqués de San Martín, s/n.

TELEFONOS DE URGENCIA

AMBULANCIAS. Telf. 23 08 10.
BOMBEROS. Telf. 26 22 88 y 26 22 26.
CASA SOCORRO CUATRO CAMINOS. Telf. 23 02 19.
CASA SOCORRO MIGUEL SERVET. Telf. 20 15 13.
HOSPITAL MUNICIPAL LABACA. Telfs. 28 74 99 y 28 71 22.
JEFATURA SUPERIOR DE POLICIA. SERVICIOS: 091. Telf. 20 90 91.
JEFATURA SUPERIOR DE POLICIA. Inspección guardia. Telf. 22 11 00.
JEFATURA SUPERIOR DE POLICIA. Centralita para todos los servicios. Telf. 22 61 00.
GUARDIA CIVIL. Telf. 23 05 40.
GUARDIA CIVIL. TRAFICO. Telf. 28 31 53.
JEFATURA PROVINCIAL DE TRAFICO. Telf. 25 38 00.
POLICIA ARMADA. Telf. 28 24 99.
SERVICIO LIMPIEZA MUNICIPAL. Telf. 23 88 32.
CRUZ ROJA DEL MAR. Base Salvamento de Náufragos. Telf. 20 59 01.
RENFE. Estación. Telf. 23 03 09.
SERVICIO DE OBJETOS PERDIDOS. Telf. 22 16 12.
SOCIEDAD PROTECTORA DE ANIMALES Y PLANTAS. Telf. 22 53 48.
GUARDIA MUNICIPAL. 23 05 00.
COLEGIO MEDICO. Telf. 22 20 15.
COLEGIO PRACTICANTES. Telf. 22 43 81.
COLEGIO FARMACEUTICOS. Telf. 22 30 14.
JUZGADO DE INSTRUCCION N.º 1. Telf. 22 12 80.
JUZGADO DE INSTRUCCION N.º 2. Telf. 22 13 80.
JUZGADO DE INSTRUCCION N.º 3. Telf. 22 69 91.
JUZGADO MUNICIPAL N.º 1. Telf. 22 20 84.
JUZGADO MUNICIPAL N.º 2. Telf. 22 12 97.
JUZGADO MUNICIPAL N.º 3. Telf. 22 19 52.
MUTUA NACIONAL DEL AUTOMOVIL. Telf. 23 61 61.
SEGURIDAD SOCIAL. Residencia Juan Canalejo. Telf. 28 74 77.
SEGURIDAD SOCIAL. Residencia Sanitaria y Centro de Reabilitación. Telf. 25 67 58.
SEGURIDAD SOCIAL. Servicio de Urgencia. Telf. 22 72 44.
SEGURIDAD SOCIAL. Ambulatorio San José. Telf. 22 60 74.
SEGURIDAD SOCIAL. Ambulatorio Barrio de las Flores. Telf. 28 66 65.
SEGURIDAD SOCIAL. Ambulatorio San Vicente de Paúl. Telf. 20 04 67.
CRUZ ROJA. Telf. 20 59 75.
AMBULANCIAS SAN CRISTOBAL. Telfs. 28 14 27, 28 67 13 y 23 52 79.
INSPECCION VETERINARIA MUNICIPAL. Telf. 28 12 10.
SECCION PERMANENTE ALCANTARILLADO. Telf. 22 72 73.
ORDEN PUBLICO. Telf. 22 81 05.
SERVICIO DE BUSQUEDA Y SALVAMENTO AEREO. Telf. 23 25 89.

FIESTAS POPULARES

BETANZOS. Día 1 de mayo. Fiesta infantil de los «Mayos». Importante feria de ganado y productos del campo. Muy típica.
MALPICA. Día 20 de junio. Fiestas de San Adrián del Mar. Típica romería que se celebra siempre el domingo siguiente al día 16, en una ermita situada en una cima rocosa del cabo del mismo nombre.
CARBALLO. Del 23 al 27 de junio. Fiestas de San Juan. Verbenas populares de gran tipismo. Jiras campestres. Concursos deportivos y folklóricos.
MUROS. Días 15 al 17 de julio. Fiestas de la

Virgen del Carmen. Tipica procesión marítima. Coros gallegos. Combate naval.
CORCUBION. Día 16 de julio. Típica y tradicional procesión marítima de la Virgen del Carmen.
CAMARIÑAS. Días 16 al 18 de julio. Fiestas de la Virgen del Carmen. Procesiones marítimas atravesando la ría hasta Muxia, vistosas danzas de arcos que interpretan marineros. «Sardiñada» típica.
SADA. Días 15 al 18 de agosto. Fiestas patronales de San Roque, declaradas de interés turístico. Romería gallega en la playa, con la famosa «Sardiñada» con que la ciudad obsequia a sus visitantes. Agrupaciones folklóricas.
SANTA EUGENIA DE RIVEIRA. Día 1 de agosto. Fiestas de la «Dorna», característica embarcación de pesca a remo de esta costa.
LA CORUÑA. Días 1 al 31 de agosto. Fiestas de María Pita. Bailes regionales, concursos artísticos y deportivos, ópera, ballet, festivales de España.
BETANZOS. Días 14 al 25 de agosto. Fiestas patronales de San Roque, declaradas de interés turístico. En la noche del día 16 suelta de un globo monumental con alegorías. Excursiones campestres a los caneiros remontando el río Mandeo con barcas engalanadas. Danzas gremiales.
LAGE. Días 15 al 17 de agosto. Fiestas en honor de Ntra. Sra. Hundimiento y salvamento simbólico de un barco y su tripulación en la ría.
MALPICA. Ultimo domingo de agosto, se celebran las típicas fiestas en honor de la Virgen del Mar. Jira a las islas Sisargas. Procesión marítima.
PUENTEDEUME. Días 7 al 10 de septiembre. Fiestas en honor de la Virgen de las Virtudes y San Nicolás de Tolentino. Jira fluvial por el Eume. Danzas típicas.
CAYON Día 8 de septiembre. Típica romería de la Virgen de los Milagros, de gran devoción.
CORME. Día 8 de septiembre. Típica romería en honor de la Virgen de Faro.
PADRON. Día 8 de septiembre. Romería de la Esclavitud, de gran tipismo y tradición.
MUGIA. El primer domingo que cuadre entre los días 9 y 15 de septiembre, se celebra la típica romería de Nuestra Señora de la Barca. Los romeros se sitúan encima de una famosa roca y balancean la barca en la que, según la leyenda, llegó la Virgen a dicha localidad.
SAN ANDRES DE TEIXIDO (CEDEIRA). Día 8 de septiembre, y durante todos los domingos. Típica romería al Santuario situado en la Sierra de la Cepelada y al borde del Océano. Uno de los lugares de peregrinación más antiguos y concurridos de Galicia, después del sepulcro del Apóstol. Al San Andrés de Teixido dice la leyenda «va de muerto el que no fue de vivo». Su origen se remonta a los orígenes del cristianismo.
RIANXO. El segundo domingo del mes de septiembre. Típica fiesta en honor de Nuestra Señora de Guadalupe, la Virgen «Rianxeira». Procesión marítima. Danzas de «redeiros» y «xerbeiros».
LA PUEBLA DEL CARAMIÑAL. Tercer domingo de septiembre. Procesión del Nazareno o de las Mortajas. Todos los que durante el año estuvieron en peligro de muerte van a la procesión. Sus familiares o amigos conducen un féretro.

CAZA

La caza se puede practicar ampliamente en toda la provincia. Abunda principalmente la perdiz, la becada, la paloma torcaz y el pato, éste en las numerosas marismas. De la caza de pelo, el conejo de monte, la liebre y, en zonas montañosas próximas a la provincia de Lugo, el jabalí.

PESCA

En cuanto a la pesca fluvial, cuenta esta provincia con magníficas posibilidades en los ríos Ulla, Tambre, Allones, Ezaro, Mandeo, Mero, Eume, Jubia, Mera y Sor, entre otros. En la mayoría de estos ríos hay salmón, reo, lamprea, anguilas y truchas. La pesca marítima tiene también espléndidas oportunidades para su práctica, dado el singular contorno marítimo de la provincia. Destacan las aguas tranquilas de las rías, con gran abundancia de especies. También puede practicarse la pesca submarina y la del atún, cobrándose ejemplares de gran peso.

Cotos salmoneros

Los principales cotos salmoneros de la provincia de La Coruña radican en los siguientes ríos:

Río Ulla

A 70 kilómetros de La Coruña, en el límite con la provincia de Pontevedra, es el río salmonero más importante. Tiene los cotos de Puente Ledesma, Gimonde, Couso y Sinde.

Río Tambre

A 110 kilómetros de La Coruña. Este río se extiende por los términos municipales de Brión,

Negreira, Outes y Noya. Cuenta con un solo coto, denominado Coto de Noya, con una longitud de 6.700 metros.

Río Sor

A 120 kilómetros de La Coruña. Es límite de esta provincia con la de Lugo. Tiene el coto de Riberas.

Cotos trucheros

Los principales cotos trucheros de esta provincia se sitúan en los siguientes ríos:

Río Mandeo

A 23 kilómetros de La Coruña. Este río tiene los cotos de Aranga a 36 kilómetros y de Chelo, en Betanzos, a 25 kilómetros de La Coruña.

Río Eume

A 42 kilómetros de la Coruña. Este río ofrece las especies de trucha y reo. Cuenta con el coto de Hombre, en los términos municipales de Puentedeume, Cabañas y Capela.

Río Jubia

A 52 kilómetros de La Coruña. Tiene el coto del mismo nombre.

Río Tambre

A 62 kilómetros de la capital. Tiene los cotos de Portomouro y de Sigüeiro.

Información complementaria relativa a la pesca en los cotos y ríos mencionados, puede obtenerse de la Delegación Especial del Servico Nacional de Pesca Fluvial y Caza. Avenida General Sanjurjo, 22. Telf. 23 13 47. La Coruña.

EXCURSIONES A LOS ALREDEDORES

ITINERARIO POR LAS MARIÑAS. La Coruña, Santa Catalina, Santa Cruz, Mera, Sada, Puente del Pedrido, Betanzos, Cambre, La Coruña. Recorrido total 61 kilómetros. Se trata de un intinerario en el que abundan las playas, las calas y los pazos, con suaves contrastes labradores y marineros. Amplias y hermosas perspectivas sobre las rías de La Coruña y Betanzos. Interesantes iglesias románicas en Betanzos y en Cambre.

ITINERARIO A EL FERROL DEL CAUDILLO. La Coruña, Santa Cruz, Meirás, Sada, Puente del Pedrido, Miño, Puentedeume, Cabañas, Ares, Mugardos, Jubia, El Ferrol del Caudillo, con regreso por Betanzos, El Burgo, La Coruña. Recorrido total: 138 kilómetros.
Paisaje de costa de gran amenidad en todo el recorrido, en el que se descubren pueblos pintorescos, bonitas playas y amplias perspectivas sobre las rías de La Coruña, Betanzos, Ares y El Ferrol.

ITINERARIO A CAYON. La Coruña, Pastoriza, Oseiro, Arteijo, Cayón, La Coruña. Recorrido total: 46 kilómetros.
La salida se realiza por la Avenida de Finisterre. En este itinerario, en el que destacan magníficas panorámicas sobre la costa atlántica, se conjugan los abundantes y compactos pinares con las tierras de labor y pequeños montes. En el recorrido de los tres primeros kilómetros a partir de la capital, se pueden apreciar las instalaciones industriales de La Coruña; del aluminio y graficos, en la zona de La Grela, a la izquierda, y la compleja y extensa instalación de la refinería de petróleos, a la derecha, en la zona de Bens. En Pastoriza, famoso santuario con magnífica vista panorámica sobre el Atlántico, desde el castro. En Oseiro, iglesia románica. Cayón, pueblecito marinero de singular belleza.

EXCURSIONES POR LA PROVINCIA

ITINERARIO POR LAS RIAS ALTAS. La Coruña, Betanzos, Puentedeume, El Ferrol, Cediera, Ortigueira, El Barquero, San Saturnino, Jubia, Puentedeume, Puente del Pedrido, Sada, Meirás, La Coruña. Recorrido total: 254 kilómetros.
El presente itinerario es similar al señalado anteriormente para El Ferrol del Caudillo. A partir de la ciudad departamental se combinan los paisajes interiores, con amplias perspectivas sobre la costa atlántica y las rías de Cedeira, Ortigueira y El Barquero, todas de gran belleza.

ITINERARIO A LAS RIAS DEL OESTE. La Coruña, Carballo, Buño, Malpica, Ponteceso, Corme, Lage, Puente del Puerto, Camariñas, Mugía, Berdoyas, Vimianzo, Bayo, Carballo, La Coruña. Recorrido total: 255 kilómetros.
En este itinerario se recorre toda la comarca de Bergantiños, de fertiles tierras de labor y bosques de pinos hasta llegar a la costa brava gallega, de recios acantilados, en medio de los que se abren las suavidades de las rías del Oeste, de Corme-Lage y de Camariñas-Múgia, con abundantes y extensas playas de arenas blancas y finas,

y los numerosos pueblos y villas marineras de gran tipismo.

ITINERARIO AL CABO FINISTERRE Y RIAS BAJAS. La Coruña, Carballo, Vimianzo, Corcubión, Finisterre, Corcubión, Cée, El Pindo, Canota, Muros, Noya, Santiago de Compostela, Ordenes, La Coruña. Recorrido total: 303 kilómetros.

En este circuito, de grandes contrastes, se atraviesa todo el país bergantiñán, de intensa actividad agrícola y maderera, hasta alcanzar las tierras de bravos relieves conforme nos acercamos a la costa atlántica. En Finisterre, el legendario cabo con impresionante panorámica. En Corcubión se abre el sector de las famosas Rías Bajas, con una costa de gran belleza, en la que destaca la inmensidad del Océano, al que se asoman, entre numerosos y extensos arenales, las importantes villas comerciales y marineras de Corcubión, Cée, El Pindo, Carnota, Muros y Noya, de gran tipismo y con monumentos notables.

ITINERARIO A SANTIAGO DE COMPOSTELA Y A LAS RIAS BAJAS DE LA PROVINCIA. La Coruña, Santiago, Noya, Puerto del Son, Santa Eugenia de Ribeira, Puebla del Caramiñal, Boiro, Rianjo, Padrón, Santiago, Ordenes y La Coruña. Recorrido total: 265 kilómetros.

En este itinerario se visita la capital monumental de la provincia y los pintorescos lugares y pueblos de las famosas Rías Bajas, de las cuales la primera, la de Muros y Noya (citada en el itinerario anterior), está totalmente dentro de la provincia de La Coruña, y la de Arosa está compartida en sus dos orillas por las provincias de La Coruña y de Pontevedra.

En el recorrido comprendido entre La Coruña y Santiago de Compostela, siempre siguiendo la carretera general, se atraviesan las importantes comarcas agrícolas de Carral, Mesón del Viento, con las instalaciones de Radio Nacional de España y la próspera villa de Ordenes.

ITINERARIO A SOBRADOS DE LOS MONJES. La Coruña, Betanzos, Oza de los Ríos, Cesuras, Vilasantar, Corredoiras, Sobrado, Teijeiro, Betanzos, La Coruña. Recorrido total: 129 kilómetros.

En este circuito se recorre, en principio, el hermoso paisaje mariñán hasta Betanzos, paisaje ondulado con frondosos pinares y ricas tierras de labor; después, destacan las localidades de Oza de los Ríos y Curtis, agrícolas y ganaderas, y el valle de Présaras, en el cual se halla el Monasterio de Sobrado de los Monjes.

En Vilasantar puede visitarse, en las cercanías, la iglesia románica de San Pedro de Mezonzo, declarada Monumento Histórico-Artístico.

El regreso se hace por Teijeiro y La Castellana, en la carretera general de Madrid. Paisaje abrupto hasta la bajada de la Cuesta de la Sal. En este punto, vista panorámica. A partir de aquí el paisaje se suaviza con hermosas vistas sobre el río Mandeo, la ría de Betanzos y nuevamente los alrededores de La Coruña.

LOCALIDADES IMPORTANTES DE LA PROVINCIA

El Ferrol

75.464 habitantes. Base naval. Capitanía de Departamento Marítimo. Parador Nacional de Turismo.

Feria de Muestras. Comarca de bellos paisajes y playa. Fiestas en el mes de julio y las de Amboage, concursos hípicos y deportivos y fiestas culturales y populares. Romería a la Virgen de Chanteiro en septiembre.

Servicio de autobuses y distancia en kilómetros a las distintas playas: a Cobas, 10 kilómetros; Valdoviño, 16 kilómetros; San Jorge, 10 kilómetros; Doniños, 8 kilómetros; Porto Novo, 11 kilómetros; Cabañas, 17 kilómetros; Seselle, 20 kilómetros; Cedeira, 35 ki lómetros. Servicio de lanchas en la Ría a La Graña, San Felipe, La Palma, El Seijo, Maniños y Perlío, y cada media hora a Mugardos. Parten todas las lanchas del muelle de Curuxeiras. Romerías a Chamorro y Chanteiro.

Sada

4.000 habitantes. Puerto pesquero. Buen marisco. Playa. Fiestas en agosto en las que se celebra la «sardiñada» y se eleva un gran globo de papel.

Betanzos

7.500 habitantes. Ciudad antigua y pintoresca. Restos de murallas medievales. Calles con construcciones típicas y casas blasonadas, interesantes iglesias románico-ojivales, del siglo XIV, de Santa María del Azogue y San Francisco, ambas Monumentos Histórico-Artísticos, y de Santiago, del siglo XV. Hermosos paisajes sobre el río Mandeo, en los Caneiros y Chelo, este último declarado Paisaje Pintoresco. Ferias los días 1 y 16. Fiestas patronales de San Roque, declaradas de interés turístico. Danzas gremiales y elevación de un gran globo de papel. Interesantes iglesias románicas en las cercanías.

Miño

1.700 habitantes. Magníficas playas en la ría de Betanzos. Bellos paisajes. Hostales. Fiestas de San Pedro.

Puentedeume

4.500 habitantes. Villa medieval. Iglesia parroquial de Santiago, ojival y renacimiento. Torre medieval de los Andrade, del siglo XIV. Centro de interesantes excursiones por la margen derecha del río Eume, declarado Conjunto Histórico y Paraje Pintoresco, Monte Breamo y Noguerosa. Playa de La Magdalena, en Cabañas. En las proximidades, iglesia románica de San Miguel, situada en el Monte Breamo, a 295 metros sobre el nivel del mar, declarada Monumento Nacional; castillo señorial de los Andrade, del siglo XIV, en Noguerosa. A 7 kilómetros, impresionante paisaje y espléndido panorama sobre el río Eume. Cotos de pesca. Fiestas de la Virgen de las Virtudes y San Nicolás de Tolentino, en septiembre.

Ares

2.000 habitantes. Pueblo marinero en la ría del mismo nombre. Playas de Raso y Seselle. Fiestas del Carmen en agosto. Pesca deportiva. A 6 kilómetros Montefaro y Chanteiro, con espléndido panorama sobre las rías de El Ferrol, Ares y Betanzos.

Mugardos

3.500 habitantes. En la Ría de El Ferrol y con comunicación marítima y por carretera. Playas y paisajes. Fiestas en enero en honor de San Julián, con regatas, procesión marítima y combates navales. De la Virgen del Carmen, en julio. El pulpo a la «Mugardesa» es excelente plato típico, célebre en toda la comarca.

Cedeira

4.000 habitantes. Magníficas playas. Fiestas de Nuestra Señora del Mar y San Roque. Procesiones marítimas. Romerías a la Ermita de San Antonio. Espléndido paisaje sobre la ría. En las cercanías del Santuario de San Andrés de Teixido.

Ortigueira

2.000 habitantes. Playa de Morouzos. Excursiones por la bellísima ría. Abundancia de pesca marítima y marisco. Fiestas de Santa Marta a finales de julio.

El Barquero

500 habitantes. Pintoresca población de pescadores, situada en la ría de su nombre, en la orilla del río Sor y en la falda del monte Golpillón. Paisaje marítimo y terrestre que recuerda los fiordos noruegos. Bonitas playas de Vilela y de Bares. A 7 kilómetros el cabo de la Estaca de Bares, declarado «Sitio Natural de Interés Nacional». Importantes cotos de salmón y de trucha. Fiestas de Nuestra Señora, el 8 de septiembre. Concursos de natación. Gaitas.

Pastoriza

Famoso santuario de la Virgen de Pastoriza. Visita al santuario y al monte del Castro, desde donde se divisa un hermoso panorama, con vistas sobre la ciudad de La Coruña. Famosa romería al santuario desde el último domingo de septiembre hasta final de octubre, con concurrencia de gentes de toda la comarca.

Arteijo

Romería de Santa Eufemia, el 16 de septiembre. Balneario de aguas termales.

Carballo

6.000 habitantes. Servicio frecuente de autobuses con La Coruña. Playas cercanas de Razo y Baldayo. Fiestas de San Juan y de San Cristóbal con competiones de motocicletas y boxeo de categoría nacional. Procesión motorizada. Gaiteros y fuegos artificiales. Importante centro comercial y agrícola. Caza y pesca.

Malpica

3.000 habitantes. Puerto pescador y de veraneo. Buenas playas. Cercanas las islas Sisargas. Romería a San Adrián del Mar, el 19 de junio. Cerámica típica de Buño, a 9 kilómetros de la localidad.

Puenteceso

500 habitantes. Villa situada al fondo de la maravillosa ría de Lago. Excelente lugar de veraneo. Bellos paisajes y playas. Pesca marítima y fluvial. Caza. Típica romería de Sans Fins do Castro, a 5 kilómetros.

Corme

Pueblo marinero. Playas. Marisco, especialmente percebes del Roncudo. Romería típica en honor de la Virgen del Faro, el 8 de septiembre. Pesca marítima y fluvial en el río Allones.

Lage

1.500 habitantes. Pintoresca villa marinera situada en la ría del mismo nombre. Magnífica playa de más de 1.500 metros de longitud. Bonitos paisajes. Interesante iglesia románica del siglo XIII. Pesca marítima. En las cercanía, Dombate, con interesante dólmen. Fiestas en honor de Nuestra Señora, en agosto. Hundimiento y salvamento simbólico de un barco y su tripulación.

Camariñas

2.000 habitantes. Típica población marinera situada en la ría de su nombre. Importante industria de artesanía de encajes de bolillos. Playas y bellos paisajes en los alrededores. Pesca marítima. Abundancia de caza y de mariscos. A 5 kilómetros, el cabo Villano, paisaje costero declarado «Sitio Natural de Interés Nacional». Fiestas de la Virgen del Carmen, en julio, con vistosas danzas de arcos y procesión marítima atravesando la ría hasta Mugía.

Mugía

1.500 habitantes. Típica villa de pescadores, de gran belleza, con imponentes vistas sobre el Atlántico. Importante industria artesana del encaje. Buenas playas de arena fina. Famoso santuario de la Virgen de la Barca, con romería de gran tipismo, a la que asisten gentes de toda la región, en el mes de septiembre. En las proximidades del santuario, en la falda del monte Corpiño, hay una gran piedra oscilante de unas 60 toneladas, llamada «Pedra d'Abalar», y en la cual, según la tradición, vino la Virgen a visitar al Apóstol Santiago. En Moraime, a 3 kilómetros, interesante iglesia románica del siglo XII, declarada Monumento Histórico-Artístico, y en la que antiguamente se coronaban los reyes de Galicia. Pesca marítima. Mariscos.

Cee

2.000 habitantes. Villa veraniega situada al fondo de la bonita ría de Corcubión, divisoria entre las Rías Altas y Bajas. Factoria ballenera de Caneliñas. Industria de carburos. Buenas playas en los alrededores. Caza y pesca. Mariscos. Vistas panorámicas. Fiestas de Nuestra Señora de la Junquera, el 15 y 16 de agosto. Competiciones deportivas y marineras. Folklore.

Corcubión

2.000 habitantes. En la ría. Pueblo de veraneo con cercanas y magníficas playas. A 14 kilómetros del cabo Finisterre, con magníficos paisajes. Hotel «El Hórreo». Romería a San Pedro da Redondo, el 29 de junio.

Finisterre

2.500 habitantes. Típica y original villa de pescadores. Emplazamiento en el «Promontorium Nerium». Iglesia románica del siglo XII. Pueblo de leyenda. A 3 kilómetros, el cabo Finisterre, la punta más occidental de Europa, con impresionante vista sobre el Atlántico. Numerosas playas en los alrededores, con frondosos pinares. Excelente marisco. Fiestas en honor del Santísimo Cristo de Finisterre. «Desenclavo» en Viernes Santo. «Aleluya de los Arcos», en cuyo acto los ángeles anuncian a la Virgen la Resurrección del Redentor. Pasión viviente protagonizada por los marineros de la localidad. Danzas típicas en el atrio de la iglesia parroquial.

Muros

2.500 habitantes. Importante villa marinera, muy típica, declarada Conjunto Histórico-Artístico, situada a la entrada de la ría de su nombre. Centro veraniego con bellas playas. Interesante iglesia románica-ojival. Pesca marítima. Abundancia de mariscos. Trajes típicos de «muradana». Fiestas de San Pedro, del 28 al 30 de junio; competiciones deportivas y náuticas. Fiestas de la Virgen del Carmen, del 15 al 17 de julio, coros gallegos, combate naval. Romería a la ermita de la Virgen del Camino. Danzas regionales.

Noya

4.500 habitantes. Bella y evocadora población situada en la parte más interior de la ría del mismo nombre. Casas señoriales del medievo e iglesias románicas: San Martín, Santa María a Nova y San Francisco, declaradas Monumentos Histórico-Artísticos. Alrededores de gran belleza. Buenas playas de Testal y de Boa. Caza y pesca marítima. Importante coto truchero y de salmón. En los alrededores, interesantes cruceros de Pontenafonso y Barines. Fiestas de San Marcos, el 25 de abril. Fiestas de San Bartolomé, del 23 al 27 de agosto. Corridas de toros. Danzas regionales. Fuegos artificiales y acuáticos. Regatas de bateles. Verbenas.

Puebla del Caramiñal

3.000 habitantes. Pintoresca villa marinera situada en la ría de Arosa, al pie del monte Curotiña. En las cercanías, fortaleza y pazo de Xunqueiras. Playas extensas y bellos paisajes. Caza y pesca. El 15 de enero, romería campestre en honor de San Mauro, en la falda del monte Curota, declarado «Sitio Natural de Interés Nacional». Impresionante panorama. Del 16 al 18 de agosto, fistas de la Virgen del Carmen. Folklore. El tercer domingo del mes de septiembre, fiesta del Divino Nazareno. Impresionante y originalísima procesión de las mortajas.

Padrón

2.000 habitantes. Al fondo de la ría de Arosa, bañada por el poético río Sar. Es este uno de los más bellos lugares de la región gallega. Situada en feraz valle del Ulla, entre dos ríos y al pie de montañas, que conceden al paisaje una gracia fresca e íntima. Tierra de poetas, tiene un pasado rico en historia y en leyendas. Es la antigua Iria Flavia. Padrón toma su nombre de la tradición del desembarco de los restos del Apóstol Santiago en esta ría, para lo cual atracó la lancha que los conducía a un gran poste de piedra o «padrón», que todavía se conserva en la villa. En las cercanías, el monte Santiaguiño, donde vivió y predicó el Apóstol. Pesca del salmón, trucha y lamprea. Fiestas de Pascua. Feria de ganado. El 13 de junio romería en honor de San Antonio, en Herbón. El 25 de julio típica romería de Santiaguiño do Monte. «Sardiñada». Comida campestre, con concurso de bailes típicos. Fuego artificiales con motivos gallegos.

Santiago de Compostela

52.000 habitantes. Jerusalén de Occidente. Artísticamente es una de las ciudades más importantes del mundo. Es la metrópoli religiosa, artística e intelectual de Galicia. Sede Arzobispal y Centro Universitario. Por su situación geográfica, Santiago es el centro de comunicaciones por carretera de la región gallega. Toda la ciudad es un monumento. Destaca la Catedral, con el Pórtico de la Gloria, del maestro Mateo, apoteosis de la escultura románica, del año 1190. El ambiente de la ciudad, con sus soportales, palacios e iglesias, deja una huella imborrable. Fiestas de la Ascensión, con misa de pontifical y funcionamiento del botafumeiro. Feria de ganado. Romería gallega. Del 15 al 31 de julio, fiestas de Santiago Apóstol. El día 24, a las 24 horas, monumental pirotecnia, con «quema de la fachada», en la monumental plaza del Obradoiro. Funcionamiento del Botafumeiro, el rey de los incensarios. Festivales de España. Coros y danzas gallegas. El 30 de diciembre, conmemoración de la traslación de los restos del Apóstol. Apertura y cierre de la Puerta Santa, cuando coincide en Año Santo, el día 31 de diciembre. Funcionamiento del botafumeiro.

Puente del Puerto

1.500 habitantes. Localidad situada en el interior de la ría de Camariñas y rodeada de un bonito paisaje. Pesca fluvial y marítima. Cercanos lugares de Camelle y Arou, con paisajes marinos y agrestes, muy típicos y con excelentes playas. Caza menor y mariscos. Fiestas patronales en honor de San Pedro, San Antonio, Santísimo Sacramento y Perpetuo Socorro, del 29 de junio al 6 de julio. Procesión marítima y regatas.

Sobrado de los Montes

500 habitantes. Antiguo monasterio cisterciense de varios estilos. Restos de la sala capitular, románica, del siglo XII. Capilla señorial de La Magdalena, siglo XIII. Sepulcros señoriales, siglo XIV. Cocina ojival del siglo XV. Tres claustros, renacimiento de épocas diversas. Casa audiencia y otras dependencias. Imágenes. En las cercanías, laguna artificial, con abundante pesca de trucha, y monte del Gandarón, con buen punto de vista. Se recomienda la visita al monasterio, declarado Monumento Histórico-Artístico. Fiestas y romería tradicional, patronales de la parroquia de San Pedro, da Porta, los días 29 y 30 de junio.

Boiro

Pequeña aldea de unos 500 habitantes, muy pintoresca, con paisaje de costa sobre la ría de Arosa, de gran belleza. Importante localidad de veraneo. Magnífica playa de

Barrana. Servicio marítimo con Villagarcía de Arosa. Fiestas de verano el primer sábado del mes de julio. Bailes regionales.

Arzúa

2.000 habitantes. Importante zona agrícola y ganadera, situada en el Camino de Santiago, con magníficos bosques de castaños. En las cercanías, el antiguo cenobio románico de Mezonzo, declarado Monumento Histórico-Artístico. Del 15 al 18 de julio, fiestas de la Virgen del Carmen. Romería gallega. Concurso de bailes regionales.

Puentes de García Rodríguez

5.000 habitantes. Importante complejo industrial. Fuentes minerales de gran contenido ferruginoso. Maravillosa vista desde el monte Caxado, uno de los más altos de la provincia. Buen lugar para la degustación de la variada y sabrosa cocina gallega. Fiestas de verano en honor de la Virgen del Carmen, del 16 al 25 de julio. Jira al río Eume y espectáculo folklórico de la .región.

Santa Eugenia de Ribeira

6.000 habitantes. Importante puerto pesquero e industrial de salazones situado en la ría de Arosa. Bonita ciudad. Bellas playas, destacando las de Coroso, Río Azor, Area Secada y Castro. Excelente clima. Paisajes de gran belleza. Pesca marítima. En las cercanías, interesante dólmen de Agaitos. El día 1 de agosto, fiestas en honor de Nuestra Señora del Carmen. Procesión marítima. Deportes náuticos. Coros gallegos.

Fene

2.5000 habitantes. Magníficos astilleros de gran capacidad de producción. Villa situada a orillas de la ría ferrolana, con espléndido paisaje y bellas playas en sus cercanías. Del 5 al 7 de agosto, fiestas del Divino Salvador y San Roque. Agrupaciones artísticas y competiciones deportivas.

Mellid

2.500 habitantes. Villa situada en el Camino de Santiago. Interesantes iglesias románicas de Santa María y San Pedro. Convento de Sancti Spiritus, románico con transición al gótico, que tuvo anejo una importante hospedería jacobea. Caza y pesca fluvial. Del 15 al 17 de agosto, fiestas de San Roque. Competiciones deportivas. Tiro de pichón y al plato. Puestos típicos de pulpo.

Puerto del Son

2.500 habitantes. Pintoresca villa marinera situada a la entrada de la ría de Muros y Noya. Numerosas playas en los alrededores, con perspectivas marítimas muy bellas. En las inmediaciones, el castro de Baroña, con importantes excavaciones arqueológicas. Abundancia de caza y pesca. Mariscos. Del 7 al 11 de septiembre, fiestas en honor de Nuestra Señora del Carmen, San Roque y Nuestra Señora de la Caridad. «Sardiñada». Jira campestre. Danzas típicas.

Cayón

750 habitantes. Típica villa de pescadores situada en una península rocosa. Bellas playas de arena fina en los alrededores. Pesca marítima. Paisajes costeros. Mariscos. El 8 de septiembre romería de la Virgen de los Milagros, de gran concurrencia.

Rianjo

2.000 habitantes. Pintoresca localidad marinera situada en la parte más interior de la ría de Arosa, con hermosa ensenada, casi en la desembocadura del río Ulla. Su pasada grandeza la acredita la abundancia de blasones, que justifican su título de «Villa de los Escudos». Abundancia de mariscos. Lugar incomparable para los deportes náuticos. Caza y pesca. El segundo domingo de septiembre, emotiva y típica fiesta en honor de la Virgen Rianxeira, Nuestra Señora de Guadalupe. Danzas típicas gremiales. Vistosa procesión marítima.

Brión

1.000 habitantes. Importante localidad agrícola situada en el extremo norte del Valle de la Mahía. Paisajes. Ruinas históricas de las llamadas Torres de Altamira, que pertenecieron a la casa ducal de Peñaranda de Bracamonte. Importantes cotos de salmón y trucha en el cercano Tambre. Los días 26 y 27 de septiembre se celebra la romería, de gran fama en la región gallega, de Santa Minia, con gran concurrencia de gentes.

Cariño

3.500 habitantes. Típico e industrioso puerto marinero situado en la margen izquierda de la ría de Ortigueira. Bella y extensa playa de La Concha. Paisaje costero de gran belleza. En las cercanías, el cabo Ortegal, con impresionante panorama desde su escarpada costa.

Carnota

1.000 habitantes. Pintoresco lugar completamente abierto al océano Atlántico, en el comienzo de las Rías Bajas. Famoso por la belleza de su costa, en la que destaca la playa del mismo nombre de unos 6 kilómetros de extensión. Pequeños grupos de casas de labradores con sus típicos hórreos. El mayor hórreo de Galicia se encuentra en esta localidad, con una longitud de 35 metros, cuya construcción data del año 1768. Romería del Santísimo Cristo de la Salud, el 8 de septiembre, con gran afluencia de romeros.

El Pindo

1.300 habitantes. Típica población marítima, de extraordinaria belleza, situada al pie del monte Pindo, de 641 metros de altitud, considerado como el «Olimpo Céltico». Bonita playa de San Pedro. Fiestas de San Clemente, el primer domingo después del día 7 de agosto. Bailes típicos.

Cambre

1.600 habitantes. Interesante localidad agrícola con bellos paisajes. Muy notable iglesia románica de Santa María, de los siglos XII y XIII, declarada Monumento Histórico-Artístico, con cinco capillas absidales de planta semicircular. Imágenes antiguas de la Virgen y Santa Gertrudis. Pesca fluvial.

Monfero

500 habitantes. Antiguo monasterio cisterciense, iglesia del Renacimiento con restos románicos y sepulcros señoriales. Claustros, dependencias y sacristías de los siglos XVI, XVII y XVIII. Monumento Histórico-Artístico digno de ser visitado. Hermosos paisajes. El primer domingo de julio se celebra la famosa y popular romería de la Virgen de la Cela. Concurrencia de gentes de toda la provincia. Comida campestre.

Caaveiro

En la margen del río Eume y a 7 kilómetros de Puentedeume, impresionantes ruinas de la antigua colegiata románica, del siglo XII, declaradas Monumento Histórico-Artístico. Lugares abruptos y espléndido paisaje sobre el Eume. Enclavada en un lugar de paradisíaca belleza. Pesca fluvial.

DISTANCIAS KILOMETRICAS DESDE LA CORUÑA A:

Madrid	602
Portugal (por Tuy)	166
Vigo	155
Pontevedra	120
Orense	175
Lugo	95
Alvedro, aeropuerto	8
Ares	45
Arteijo	11
Arzúa	74
Bares	123
Betanzos	23
Cambre	10
Camariñas	88
Carballo	33
Cayón	23
Cedeira	84
Cee	95
Corcubión	96
Corme	62
El Barquero	116
El Ferrol del Caudillo	56
Finisterre	115
Laracha	22
Laxe	65
Malpica	52
Mellid	75
Mera	16
Miño	25
Mugardos	49
Muros	135
Muxia	94
Noya	99
Ortigueira	100
Padrón	84
Pastoriza	5
Puenteceso	52
Puentedeume	35
Puente del Puerto	79
Sada	17
Santiago	64
Sobrados de los Monjes	68

I RUTA RIAS ALTAS
II RUTA RIAS DEL OESTE
III RUTA RIAS BAJAS Y SANTIAGO
IV RUTA A SOBRADO DE LOS MONJES
CARTOGRAFIA EVEREST
Santiago de Compostela
Padrón
Noya
Muros
Negreira
Corcubión
Finisterre
Camariñas
Vimianzo
Ordenes
Arzúa
Mellid
Sobrado
Santa Comba
Puebla del Caramiñal
Santa Eugenia de Riveira
65 Km.
95 Km.
105 Km.